KB184972

· The Rose Garden of Fukushima ·

잃어버린 장미정원

The Rose Garden of Fukushima
by Maya Moore

잃어버린 장미정원

1판 1쇄 찍음 2019년 5월 3일
1판 1쇄 펴냄 2019년 5월 15일

지은이 마야 무어
옮긴이 김욱균

주간 김현숙 | **편집** 변효현, 김주희
디자인 이현정, 전미혜
영업 백국현, 정강석 | **관리** 오유나

펴낸곳 궁리출판 | **펴낸이** 이갑수

등록 1999년 3월 29일 제300-2004-162호
주소 10881 경기도 파주시 회동길 325-12
전화 031-955-9818 | **팩스** 031-955-9848
홈페이지 www.kungree.com | **전자우편** kungree@kungree.com
페이스북 /kungreepress | **트위터** @kungreepress

ISBN 978-89-5820-594-4 03520

값 20,000원

· The Rose Garden of Fukushima ·

잃어버린 장미정원

대지진 이후 폐허 속에서도 희망을 노래한
후쿠시마 후타바 장미원 이야기

마야 무어 지음 | 김욱균 옮김

궁리
KungRee

언제나 희망의 불빛으로 인도해주신 나의 조부모
오카모토 슌게츠 님과 오카모토 이치조 님을 기리며

· 추천사 ·

2011년 3월 운명의 금요일 오후, 지면이 흔들리기 시작했을 때 나는 대사관 9층 사무실에서 다음 주 일정을 검토하고 있었습니다. 주로 경제나 교역 문제들을 외교적으로 논의하고 지역 국가안보과제를 상의하는 일정이었습니다. 일본과 우리는 진정한 친구이자 견고한 동맹으로 맺어져 있었습니다. 대통령을 대신해 일본에서 소임을 맡게 된 것을 나는 행운으로 여기고 있었습니다. 나는 일본과 우리의 유대가 얼마나 강한지를 도호쿠 대지진 이후 더욱 확실하게 알게 되었습니다. 지진이 일어나고 불과 몇 분 사이에 나는 주일 미군사령관 그리고 대통령과도 통화를 했습니다. 핵 재난에 대처하여 일본 정부를 신속히 지원할 수 있는 장비와 전문가로 구성된 미국 역사상 가장 큰 규모의 수색 구조팀을 꾸리기 위해서였습니다. 여느 때와 다름없는 봄날 금요일 오후 2시 46분, 수천 명의 운명이 영원히 바뀌는 날이었습니다.

지진, 쓰나미, 그리고 핵 재난이 일어난 후 몇 주, 몇 달, 몇 해 동안 피해지역을 복구하는 데 나의 작은 몫을 다해야겠다는 일념으로 피해를 입은 도호쿠 지방에 수 차례 더 다녀왔습니다. 나는 그곳의 시장들, 지사들, 초등학생들부터 대학생들, 자위대 군인들과 소방대원들, 그리고 보호소나 임시 주거시설에서 지내는 시민들과 만났습니다. 가족, 친구들, 이웃들을 떠나보내고 꿈을 잃어버린 채, 길고 고달픈 여정이 앞에 놓여 있는 끔찍한 폐허 속에서도 도호쿠 지방 주민들의 강한 의지와 회복력은 고무적이었습니다.

이 가혹한 위기와 뒤따르는 재건의 노력이 전개되는 과정 내내 미국인으로서 할 수 있는 어떤 지원이라도 하고 있다는 것이 자랑스러웠습니다. 우리는 각종 물자와 전문기술들은 물론, 일본 친구들에게 희망을 주려고 노력했습니다. 본국의 미국인들은 일본을 돕기 위해 전국적으로 기금 마련 복권 판매, 빵과 케이크를 구워 파는 모금행사, 의복수집운동 등을 전개했습니다. 일본에 거주하는 미국인들과 그리고 해외에 있는 미국인들도 도움을 전하고자 극심한 피해를 입은 지역을 찾았습니다. 미국대사관에서는 재해를 입은 지역의 청소년들에게 교환 방문

프로그램을 통하여 미국에서 몇 주 지내면서 상실에 따른 스트레스를 해소하고 정신적으로 회복할 수 있는 기회를 주기 위하여 '도모다치 계획(TOMODACHI Initiative)'을 실시하였습니다.

그러나 우리가 도움의 손길을 전하긴 했지만, 실제 그들은 각자 자신의 방법으로 집과 동네를 일으켜 세워야 하는 책임감을 느끼고 있었습니다. 나는 도호쿠 지역을 수 차례 방문하면서 믿어지지 않을 정도의 힘을 발휘하는 주민들을 여러 번 만났습니다. 그들 중에는 어떤 작은 도시의 시장이 있었는데 그는 쓰나미에 부인을 잃고 2,000명 가까이 시민들이 실종된 도시를 이끌면서 어린 두 아들을 키워야 했습니다. 바로 눈앞에서 가족 모두를 잃어버린 여고생도 있었습니다. 그녀는 어떻게든 살아남았지만 홀로 고달픈 삶과 마주하게 되었습니다. 이런 상상하기조차 어려운 이야기들이 아직도 끝도 없이 계속되고 있습니다.

여기에서 마야 무어가 말하는 것처럼, 후쿠시마 후타바 장미원과 오카다 가츠히데의 놀라운 스토리는 희망을 품게 하는 여러 이야기들 중 하나이며, 또한 많은 이들의 도움을 받아 정원을 어떻게 되찾아가는지에 관한 이야기입니다. 후쿠시마에서 잘 알려진 가츠히데의 아름다운 장미원 사진들과 함께 이 책은 그가 꿈의 정원을 일궈가는 이야기, 그 정원을 갑작스럽게 버리고 떠날 수밖에 없었던 안타까운 사연을 담고 있습니다. 이 책은 대재난으로 가족과 집을 잃은 사람들의 끔찍한 비극의 후유증, 이를 이겨내려는 회복정신 그리고 그로 인해 생겨나는 희망 등 도호쿠 지방의 주민들의 모습을 들여다볼 수 있는 작은 창이 될 것입니다.

존 루스

전 주일미국대사(2009~2013)

· 차례 ·

· 한국 독자들께 드리는 글 ·

한국 독자들과 만날 수 있게 되어 영광입니다.

이제 여러 해가 지났습니다만 오카다 가츠히데 씨와 그의 장미정원에서 일어났던 일은 후쿠시마 주민들에게 닥쳤던 많은 것들을 상징적으로 보여주고 있습니다. 이 책에 있는 장미들을 바라보며 여러분은, 사람들의 목숨을 앗아가고 그들의 고향과 지역 공동체, 생계수단을 잃어버리게 한 비극을 잊지 못할 것입니다.

장미는 사람의 마음을 어루만지는 놀라운 능력이 있습니다. 장미는 사람들의 관계와 사소한 다툼을 초월하게 하는 힘을 가지고 있습니다.

이 책이 가츠히데 씨가 일본의 또 다른 곳에 새로운 정원을 만드는 데 도움을 줄 수 있다는 사실에 독자 여러분은 기쁨을 느끼게 될 것입니다. 독자 여러분의 격려로 그가 자신의 꿈을 멋지게 실현해 나갈 것입니다.

이 책을 통해 여러분이 가츠히데 씨의 장미들과 가까워질 수 있는 계기가 된다는 사실에 정말 감사함을 느끼고 있습니다.

마야 무어

2019년 봄날

일본 도쿄에서

· 머리말 ·

2011년 3월 11일, 거대한 지진이 일본 혼슈의 도호쿠 지역을 강타했다. 엄청난 지진의 여파로 지구의 자전축은 17cm가량 움직였으며 일본 영토가 태평양 쪽으로 4m나 이동했다.

이 지진으로 12층 건물 높이, 10km 정도 내륙으로 밀려드는 거대한 쓰나미들이 생겨났다. 그 격렬한 바닷물은 무차별적으로 휩쓸어버리면서 진로를 가로막는 모든 것들을 집어삼켰다. 지진에 폭우까지 겹쳐 몇 시간 만에 18,490명이 목숨을 잃었고 40만 가구가 파괴되었다.

이 거대한 파도들이 후쿠시마 해안선에 위치한 핵발전소를 덮쳤을 때 재앙은 연이어 찾아왔다. 이로 인한 폭발로 거대한 양의 방사선이 노출되었다. 일본 정부는 즉각적인 대피명령을 발동했고, 반경 20km 안에 있던 몇십만의 주민들은 간단한 소지품만을 가지고 급히 대피해야 했다. 그 지역은 지금까지 대부분 접근금지구역으로 선포되어 있다.

이 지역들의 방사선 노출수준은 앞으로 수십 년 동안 높게 유지되어 172,000명의 피난민들이 그들의 집을 영원히 포기해야 한다. 사실상 어떤 점에서 그들은 조국에서 난민 신세가 된 셈이다.

이 재해로 일본 도호쿠 지방의 많은 해안은 황폐해졌다. 이 책이 쓰인 바로 이 시점에도 파괴된 지역들의 재건설은 아주 느린 속도로 진행되고 있지만 원자력발전소의 재난은 수그러들 기미가 보이지 않는다. 안전상 문제를 언급하지 않더라도 주택, 일자리, 그리고 공공시설의 부족으로 주민들이 고향으로 돌아올 수 없는 형편이다. 아니 돌아올 의지도 없지만 설사 돌아올 수 있다 해도 이 지역의 농수산업은 회복되는 데 수십 년이 더 걸릴 것이다.

작은 구 단위인 후타바는 후쿠시마 오염 지역 한복판에 자리하고 있다. 해안으로부터 8km밖에 떨어져 있지 않은 후타바 장미원은 쓰나미의 손아귀에 훼손되지는 않았지만 방사선의 무자비한 영향 아래 놓이게 되었다. 거의 50년 동안 사랑스럽게 가꾸어진 그 정원은 그 비극적인 3월의 어느 날 송두리째 사라졌다.

이 후쿠시마의 장미원 이야기는 도호쿠 대지진과 원자력발전소 폭발의 비극적 사건들 속에서 싹튼 수많은 이야기들 중 하나이다. 그것은 인간의 희망과 회복력에 대한 일화이다.

일본의 유서 깊은 소마(相馬) 지역 작은 언덕에 자리한 후타바(双葉) 장미원에 오신 것을 환영합니다.

오카다 가츠히데, 한 사람의 꿈이 실현된 곳, 그는 750종류 이상의 장미 품종을 애정 어리게 수집하고 가꾸어
일본에서 유례가 없는 오아시스를 만들었다.

산에서 불어오는 사나운 바람과 소금기 있는 해풍 속에서 장미들은 강건하고 참으로 아름답게 자랐다.

매년 5만 명 이상의 방문객들이 정원을 감상하러 왔다.
그들 중에는 새벽 동이 트기 전, 사진을 찍기 위해서 입구에 줄을 서는 장미 애호가들도 있었다.

…정원과 꽃의 아름다움과 신비감에 유혹되어…
이것이 모든 것의 시작이었다.

· 1장 ·

첫눈에 반하다

눈부시게 아름다운 6월의 어느 아침이었다. 열일곱 살의 가츠(오카다 가츠히데)는 오토바이를 타고 시골을 지나다가 우연히 운치 있는 일본 전통 가옥을 보게 되었는데, 그 집 높다란 나무 울타리 위로 풍성하게 늘어져 있는 진홍색의 붉은 꽃이 그의 눈을 사로잡았다. 가까이 다가가서 손으로 그 꽃을 쥐어보았다. 장미였다. 장미의 향기가 그의 가슴속으로 스며들면서 그는 장미의 마력에 사로잡혔다.

복숭아 농사와 양계를 하는 아버지를 도우면서 사이사이 여가가 날 때마다 가츠는 장미를 키우기 시작했다. 조그마한 시골 도시 후타바에는 장미에 대해서 조언을 해줄 수 있는 사람도 없었고, 관련된 책을 구할 방법도 마땅치 않았으므로 그는 시행착오를 반복하면서 장미 재배의 노하우를 배워 나갔다. 이때가 1961년, 제2차 세계대전에서 일본이 패배한 지 16년밖에 되지 않았다. 국가가 한창 현대화의 길목에 서 있는 중이라 대다수 사람들의 마음속에는 꽃을 가꾸는 것보다 식량 생산이 우선이었다. 더욱이 장미는 그다지 필요한 것이 아니었다. 장미는 아주 귀하게 여겨져서 부유하거나 서구화된 사람들의 소유물로만 찾아볼 수 있었다.

어느 날 가츠는 신문을 보다가 도쿄에서 발행된 『장미의 일년 열두 달』이라는 책의 광고를 보았다. 이 책을 손에 쥔 날을 가츠는 결코 잊지 않고 있다.

"나는 황홀했어요." 그는 말했다. "내가 봉투를 뜯었을 때 대도시의 냄새가 풍겨 나왔습니다. 그리고 책을 펼쳤을 때, 오! 그 사진의 빛깔들! 얼마나 나의 상상력을 자극했던지! 세상에 그렇게 많은 장미 품종이 있다는 사실을 알고 정말 놀랐습니다."

이 책이 그의 심장에 불을 지폈다. 그 후 5년 동안 가츠는 그의 장미정원에 새로운 품종의 장미들을 늘려갔다. 가츠는 장미를 아치, 트렐리스 위, 기둥 그리고 화단에서 키웠다. 여러 종류의 다른 토양에서 그리고 다른 방법으로 장미 재배를 실험하였다. 이윽고 그는 각 품종의 독특한 성격과 취약점을 익히게 되었다. 장미 개화 시즌은 이 젊은 독학 원예사에게 엄청난 즐거움과 만족감을 가져다주었다. 그는 장미에 완전히 매료되었다.

"내가 장미에 빠져들면 빠져들수록 장미는 나에게 더 많은 대답을 보내왔어요. 그것은 열정적인 연애와도 같았어요. 어떻게 달리 설명할 수가 없어요."

1966년에 가츠는 거의 70종의 장미를 재배할 수 있었다. 어느 날 가츠의 아버지가 단호하게 말했다.

"아들아, 이제 우리가 제대로 된 장미원을 시작해야 할 때가 된 것 같구나."

· 2장 ·

정원을 구상하다

후타바 장미원이 공식적으로 문을 연 때는 1968년 4월 7일이었다. 가츠가 스물네 살이 막 되었을 때였다. 입장료를 받는 개인 소유 장미정원의 난데없는 출현은 꼭 긍정적인 것만은 아니어서 조용한 마을 후타바를 떠들썩하게 하였다.

아직 어려운 시절 젊은 사업가가 장미정원을 시작했다는 소식에 사람들은 듣도보도 못한 바보 같은 짓이라고 쑤군거렸다. 생계를 꾸리기 위해 뼈빠지게 애쓰는 사람들에게 정원은 솔직히 그냥 정신 나간 짓으로 여겨졌다.

사실 마을에서 바로 몇 킬로 떨어진 곳에서 원자력발전소의 건설이 진행 중이었다. 많은 사람들이 3년밖에 남지 않은 발전소 완공을 기대하고 있었는데, 지역에 많은 고용기회를 제공하리라 예상했기 때문이었다.

"사람들은 그곳이야말로 바로 실질적인 직장이 될 거라고 나에게 말했습니다. 장미원이 실현 가능한 사업이 될 수 있으리라 믿는 사람은 없었습니다." 가츠는 말했다. "그렇지만 솔직히 나는 장미원을 사업적인 측면으로는 정말 생각하지 않았습니다. 나는 그저 내가 사랑하는 것에 전념하고 싶을 뿐이었습니다."

회의적으로 말했던 사람들뿐만 아니라 실은 가츠 자신이 놀랄 정도로 그의 장미를 보기 위해서 일본 각지에서 관람객들이 몰려들었다.

"아마도 극히 이례적인 일이었습니다. 그런 것이 아니라면 국가를 재건해야 하는 고달픔에 지친 사람들에게 장미가 한숨 돌릴 여유를 준 것이 아닐까요?" 그는 곰곰이 생각하였다.

어쨌든 점점 많은 사람들이 장미를 보기 위해서 방문하였다. 후타바 장미원은 순조롭게 출발하였다.

· 3장 ·

내 안의 불만스런 감정

정원은 예전 가츠의 아버지가 소유하고 있던 복숭아 과수원에 조성되었다. 그의 아버지는 아들의 꿈이 이루어지도록 그 땅을 흔쾌히 제공하였다. 큰 도로가 통하는 66,000m^2(2만 평)의 부지였는데 옆으로는 호수를 끼고 있었다. 특히 일본처럼 산등성이와 언덕이 등뼈를 이루고 있는 좁다란 나라에서는 경작할 만한 평지가 거의 없다는 사실에 비추어 볼 때 이곳은 완벽한 작은 보석 같은 땅이었다.

가츠는 정원일이나 조경디자인에 대한 정규 교육을 받은 적이 전혀 없었다. 그렇지만 그는 정원 구도를 제대로 볼 줄 아는 타고난 감각을 가지고 있었다. 숲이 울창한 산과 바다가 가까이 있는 후타바의 풍부한 자연환경 속에서 어린 시절을 보낸 덕분에 그는 계절적인 변화를 이해하고 대지를 아름답게 가꾸는 데 필요한 많은 지식을 얻을 수 있었다.

이러한 성향 때문인지 그는 부지를 개간할 때 벚나무, 소나무, 전나무 등 그 땅에서 오래 자란 야생의 나무들을 그대로 유지하려 하였다. 그리고 그는 800여 그루의 벚나무 묘목으로 주변을 에워쌌는데 이 벚나무들은 4월 중순에서 5월 초순까지, 곧 이어 주인공으로 등장할 장미의 서곡(序曲)과 같은 역할을 하며, 봄의 시작을 예고하는 풍성한 연분홍의 장관을 연출하였다.

가츠는 도로에 접해 있는 두 곳의 조그만 땅을 개발하였다. 두 개의 동심원 길을 만들어 중간을 관통하게 하는 계획을 세운 것이다. 바깥쪽 원은 펜스와 퍼골라에 덩굴장미를 장식하고, 안쪽 원은 화단에 중간 크기 혹은 좀 더 큰 꽃을 전시하였다. 몇 년 후 사람들은 새로운 품종을 기대하기 시작했다. 사람들은 그 사이 어떤 새로운 장미들이 들어왔나 궁금해하며 다시 찾아왔다. 이들이 이 장미정원을 곳곳에 알리기 시작했다. 하나의 사업으로서 정원은 꽤 괜찮은 평판을 얻기 시작했다. 예상을 넘어 모든 것이 정말로 순조롭게 흘러가는 듯했다.

정원을 가꿔가던 가츠는 자신의 자연회귀 성향을 느끼며 곧 불안한 마음이 들기 시작했다. 처음에는 정원을 관리하는 데만도 매우 분주했다. 몇 년이 흘렀다. 마침내 그는 그 문제와 싸우기 시작했다. 그렇게 지속되는 불안감 속에서 그는 자신의 정원이 사실은 전혀 정원이 아니라는 충격적인 현실을 깨닫게 되었다.

"내가 지금까지 이룩한 것은 장미 재배가의 품종 진열을 위한 한낱 플랫폼에 불과했다는 것을 깨달았습니다. 나는 다른 무엇보다도 더 장미의 특징을 제대로 보여주는 정원을 꾸려가고 싶었습니다."

그 수수께끼를 풀기 위해 가츠는 휴가를 내어 일본 곳곳을 여행했다. 당시 달러가 360엔 가치를 지녔을 때이므로 유럽이나 미국 여행도 충분히 경제적으로 가능한 일이었다. 그러던 어느 날 그는 그가 찾고 있었던 정원의 요소들을 발견하게 되었다. 그는 자신의 인생이 새로운 전환점에 와 있음을 발견했다.

· 4장 ·

네 가지 개념의 조화

후쿠시마에 돌아오자마자 가츠는 바로 그의 생각을 실현하는 작업에 뛰어들었다. 자연, 초록, 환경 그리고 장미. 이 네 가지의 개념을 기본 바탕으로 하였다.

그가 만들어내고자 한 새로운 정원의 캔버스는 도로 건너편에 있는 좀 더 큰 규모의 부지였다. 대체적으로 평평하고 기복이 약간 있었는데 숲이 울창한 산이 병풍처럼 둘러싸인 주변이 이점이 되어주었다.

첫 과제는 열린 공간을 시각적인 리듬감으로 조율하는 것이었다. 가츠는 키 작은 전나무들을 조형적인 요소로 삼고 키 큰 히말라야시다들을 종적인 악센트로 연출하였다. 이러한 나무들을 하나하나 배치하는 건 향후 이들이 거대한 수목으로 자란다는 기대감에서 중요하게 다루어야 했다.

"내 계획에 골똘히 사로잡혀 있을 무렵, 그림을 그릴 때 좀 더 비중 있는 요소들은 오른편에 놓이도록 인간의 두뇌가 반응하게 되어 있다는 초등학교 미술선생님의 말씀이 문득 떠올랐어요." 라고 가츠는 회상했다. "그래서 이런 경험의 법칙을 나의 나무들에게 적용하면 어떨까 하고 생각했죠."

다음으로 가츠는 산책로에 잔디를 심고 아치를 전략적으로 배치했는데, 방문객들은 이를 보고 경탄을 자아냈다. 그들은 다음에는 무엇이 있을까 하는 호기심으로 정원 곳곳을 세심하게 둘러보았다.

이러한 모든 요소들을 확인한 후, 가츠는 자신의 이런 새로운 시도가 애초에 조성되기를 염원했던 정원이 되리라는 확신이 들었다. 방문객들은 이 독특한 공간에서 장미의 존재를 보고, 느끼고, 향기를 맡게 될 것이었다. 반드시 10여 년 후에는 그렇게 될 거라고 보았다. 교목과 관목이 다 자랄 때까지는 시간이 필요했다. 이런 생각의 모든 결과는 세월이 훨씬 지난 후에야 나올 것이었다.

그리하여 이 새로운 구역의 후타바 장미원이 1973년 문을 열었을 때, 꼭 그가 예상했던 것처럼, 방문객들은 빈 공간이 많이 있음을 보고 그곳을 더 많은 장미로 채우길 희망했다. 그럴 때마다 그는 "계속 두고 보세요. 10년쯤 지나면 이곳은 여러분을 위한 꿈의 정원이 될 것입니다."라고 대답했다.

· 5장 ·

영감의 불꽃

방문객들은 돌아왔다. 가츠의 손길이 닿은 오아시스로 몇 년간 5만 명이나 찾아왔다. 성수기에는 관광객들을 가득 태운 버스들이 이 시골 구석에 오로지 이 장미정원을 보기 위해 숙박까지 계획하고 몰려들었다. 1985년에 가츠가 아내 가츠코에게 열어준 음식점과 카페는 매콤한 한국식 불고기를 먹거나 조심스럽게 내린 커피를 음미하는 손님들로 매일 만원을 이루었다.

가츠는 일찍 일어나 새벽 5시 30분부터 방문객들을 기꺼이 맞아들였다. 이러한 흔치 않은 개장 시간 덕분에 그가 좋아하는 정원의 정자 아래에서 새벽커피를 즐기던 어느 날 첫잔을 드는 순간 불현듯 영감이 떠올랐다. 그는 아침이슬에 반짝이는 장미를 경탄하며 바라보았다. 그리고 사방을 둘러싼 여명을 축복하는 새소리를 듣고 있었는데 돌연 이 황홀한 순간을 손님들과 나누고 싶은 강한 충동을 느꼈다.

통상적으로 사진작가들이 아침에 먼저 도착한다. 그들은 여러 해 동안 방문한 경험이 있기 때문에 이곳 정원의 장미가 비나 아침 이슬을 맞아도 시들시들하거나 엉겨 붙지 않은 채 앙증스럽고 왕성하게 피어난다는 점을 알고 있었다. 이렇게 아침 일찍 허용되는 사진촬영의 기회는 일본의 어떤 정원에서도 찾을 수 없는 것이었다.

정원의 모습을 지속적으로 보여주기 위한 새로운 방법들이 가츠의 머릿속에서 예기치 않은 순간에 불쑥불쑥 떠올랐다. 가츠는 사무실에 결코 가만히 앉아 있질 않았다. 그는 그의 평상시 복장인 작업복과 진흙투성이의 장화 차림으로 날마다 정원을 알뜰하게 보살폈다.

"대부분의 사람들은 나를 정원의 주인으로 생각하지 않고 단지 정원사로 생각했습니다. 또한 나도 그렇게 되는 게 좋다고 느꼈죠. 나는 정원을 비판하는 많은 사람으로부터 진솔한 충고를 귀담아 들을 수 있었습니다." 가츠는 눈을 껌뻑이며 말했다.

그리고 그것이 그가 예기치 않은 아이디어를 얻는 방법이었다. 어느 날 그는 여느 때와 같이 장미를 손보고 있었는데 어떤 여성 방문객이 친구에게 하는 말을 우연히 듣게 되었다. "나는 이 꽃이 뭔지 궁금해!" 순간, 가츠는 그녀 앞으로 다가갔다. "이건 장미, 고전장미예요!"라고 말했다. "정말요? 전혀 장미 같지 않는데요?" 그녀는 의외라는 듯 대답했다.

가츠는 불현듯 깨달은 것이 있었다. 대부분의 일본인들은 미 해군의 매튜 페리 제독이 1854년 봉건체제하의 일본을 개항하게 한 이후 일본 국내에 소개되었던 장미의 모습에 익숙해 있었다. 그래서 장미 전문가가 아니면 홑꽃잎을 가진 야생장미 품종이나 잔뜩 주름이 있는 꽃모양의 고전장미가 많은 사람이 알고 있는 현대장미의 전신(前身)이었다는 사실을 잘 알지 못했다.

만약 방문객들이 정원길을 거닐면서, 자연스럽게 장미의 역사를 배울 수 있다면 정말 매혹적이겠다고 생각했다.

· 6장 ·

귀족의 향기

정원에서 우연히 얻게 된 교훈, 장미의 역사에 관한 아이디어는 계획으로 구체화되기 시작하였으며, 이를 위해 가츠는 고전장미들과 옛스러운 장미들을 더 구하기 위한 방안을 생각해 내었다. 그러나 일본에서 그것들을 구하기란 쉽지 않다는 것을 알게 되었다. 그는 영국에서 가장 저명한 장미 육종가로 알려진 피터 빌즈에게 편지를 썼다. 가츠는 영어가 아주 서툴렀다. 그러나 방문객들을 즐겁게 해주고 싶은 열망으로 150종의 장미 묘목을 수입하는 지루하고 고달픈 여정을 견딜 각오가 되어 있었다. 가츠는 예전에 영국 켄트 지방에 있는 시싱허스트 성의 정원에서 야생장미 한 그루를 주문한 적이 있었다. 그러나 이번에 다루어야 할 장미의 묘목 수와 서류 작업의 양이 훨씬 많아졌다.

1996년 '고전장미의 길'이라는 이름의 정원 구간을 완성했다. 9년 후인 2005년 '야생장미의 길'도 마무리했다. 이렇게 조성된 장미 역사의 길은 야생장미가 먼저 소개되고 나폴레옹 시대에 인기가 있었던 고전장미가 그 뒤를 이었다. 나폴레옹의 첫 부인 조제핀은 열정적인 장미 재배자였으며 이러한 주름 잡히고 장미처럼 보이지 않는 품종의 고전장미가 가츠의 정원 길을 장식했다.

고전장미의 길을 따라 펼쳐진 높다란 지역을 보며 가츠는 한 가지 흥미로운 생각을 갖게 되었다. 그는 완만하게 아래로 향하는 길을 따라 아치들을 설치하여 경사면의 장점을 살리는 지혜를 발휘하였다. 이런 재치 있는 디자인은 아치들 위에 자라는 장미의 향기가 자연스럽게 비탈 아래로 흘러 사발그릇 모양의 움푹 패인 공간을 장미 향기로 가득 채웠다. 방문객들은 꽃을 감상하기 전에 이곳에서 최상의 신선한 장미 향기를 흠뻑 맡으며 자리를 떠나지 않고 오랫동안 머물렀다.

이런 균형 잡힌 배치 덕분에 방문객들은 오래전에 유럽에서 인기가 있었던 장미들의 색깔과 모양, 향기에 빠져들었다. 또한 자신을 19세기 초 유럽의 귀족이라고 상상하면서 공상에 잠기기도 했다. 이곳을 지나 더 나아가면, 요즈음 흔히 볼 수 있는 좀 더 친숙한 모습의 현대장미들을 만날 수 있다.

"이는 오감을 통해서 얻는 가장 유쾌한 방법의 역사 수업에 참가하는 것 같았습니다." 가츠는 꿈꾸듯 말했다.

자연 그대로의 장미들을 만나면
새벽의 고요 속, 그들의 속삭임을 듣는다.
"좋은 아침입니다!"
"오늘은 우리가 얼마나 예뻐 보이나요? "
"우리를 사랑해주셔서 고맙습니다."
새날 아침 햇살에 비쳐 그들은 스스로를 자랑스럽게 펼친다.
장미들의 달콤한 향기와 변화무쌍한 표정들이
나의 심장을 뛰게 한다.

- 오카다 가츠히데

· 7장 ·

새로운 50년을 위한 계획

해를 거듭하면서 많은 방문객들이 정원을 찾았다. "당신 말이 맞았어요! 이곳은 우리들 꿈의 정원이 되었어요." 이런 사람들의 이야기를 들으면서 가츠는 기뻐했다.

이런 이야기들을 들으면 그는 기분이 유쾌해지다가도 왠지 모를 압박감도 느끼게 되었다. 그는 정원 가꾸는 데 헌신했기 때문에 그런 칭찬을 듣는다는 것을 알았지만, 한편으로는 현재에 안주하면 안 된다는 다짐도 하게 되었다. 지금까지 그가 이룬 것을 더 발전시키려는 변함없는 의지, 그리고 그것을 이루는 데 몇 년이 걸릴지 모르지만 그의 창의적인 비전에 대한 확고한 믿음이 미래를 위해서 필요한 것이었다.

그는 새로운 국면의 정원 조성은 그가 세상을 떠난 후에야 결실을 맺을 수 있을 것이라는 것을 알고 있었다. 이는 활동적으로 정원 운영에 열심히 참여하기 시작한 그의 두 아들을 위한 유산이었다. 67세의 가츠는 불안감을 느꼈다. "내가 기초 작업이라도 완성할 수 있을까?" 그 자신은 초조했다.

그럴 때마다 가츠는 애정 어린 모습으로 말하던 한 친구를 떠올렸는데, 그 친구는 "잊지 마세요! 서구의 모든 저명한 정원은 완성하는 데 백년씩 걸렸어요. 당신은 지금 아직 절반도 못 갔잖아요. 지금 여기서 멈출 수 없는 거예요!"라고 말했다. 그녀가 전해주는 채찍 같은 조언으로 그는 결심을 새롭게 했고 새로운 동기를 부여받았다.

정원 조성의 다음 단계는 가츠에게 마지막 프로젝트가 될 수

도 있었다. 그는 장미로 채워진 자연 그대로의 녹지 공간을 주개념으로 한 경관을 마음속으로 그렸다. 그의 시도는 무엇보다도 가장 자연스러운 것이었다. 바로 큰 나무 몸통과 나뭇가지에 덩굴장미를 유인하려는 구상이었다. 이는 나무의 키가 얼마나 높게 자라는가에 따라서 장미들이 마침내 하늘 높이 치솟을 것이었다. 그는 우선 이 아이디어를 '장미의 숲'이라 불렀다. "그곳에 들어오는 어떤 사람도 매료되어 마법에 빠지는 곳, 그렇게 꽃으로 가꾼 황홀한 아름다운 녹색 지대를 마음속에 그렸습니다." 가츠는 그 계획을 상기하면서 흥분을 가라앉히지 못했다.

게다가 그때 그는 또 다른 일에 신이 나 있었다. 장미에 빠진 지 정확하게 50년이 되었지만 가츠는 국제적인 명성을 얻지는 못했다. 그는 세계장미회(WFRS – World Federation of Rose Societies)의 100명이 넘는 회원들이 오사카에서 총회를 마친 후 특별여행 일정으로 그의 정원을 방문한다는 소식을 듣게 되었다. 세계 도처의 수준 높은 장미 애호가들로부터 평가를 받을 수 있게 되었다는 기대에 가츠의 마음은 들떠 있었다.

이른 3월이었다. 장미 전정(剪定) 시기는 벌써 끝났고 가츠는 두어 달 동안 손님을 맞이할 준비를 했다. 아직도 매서운 북풍이 산 너머에서 불어왔다. 그의 가슴에는 봄이 벌써 와 있었다.

정말 그는 5월이 오길 손꼽아 기다렸다.

늦은 점심을 한 입에 집어삼키듯 하고 아직까지 상상 속에 있는 그의 '장미의 숲'을 만들기 시작했다. 손에 도구를 들고서 그는 마치 뛰어다니듯 작업을 하였다.

2011년 3월 11일

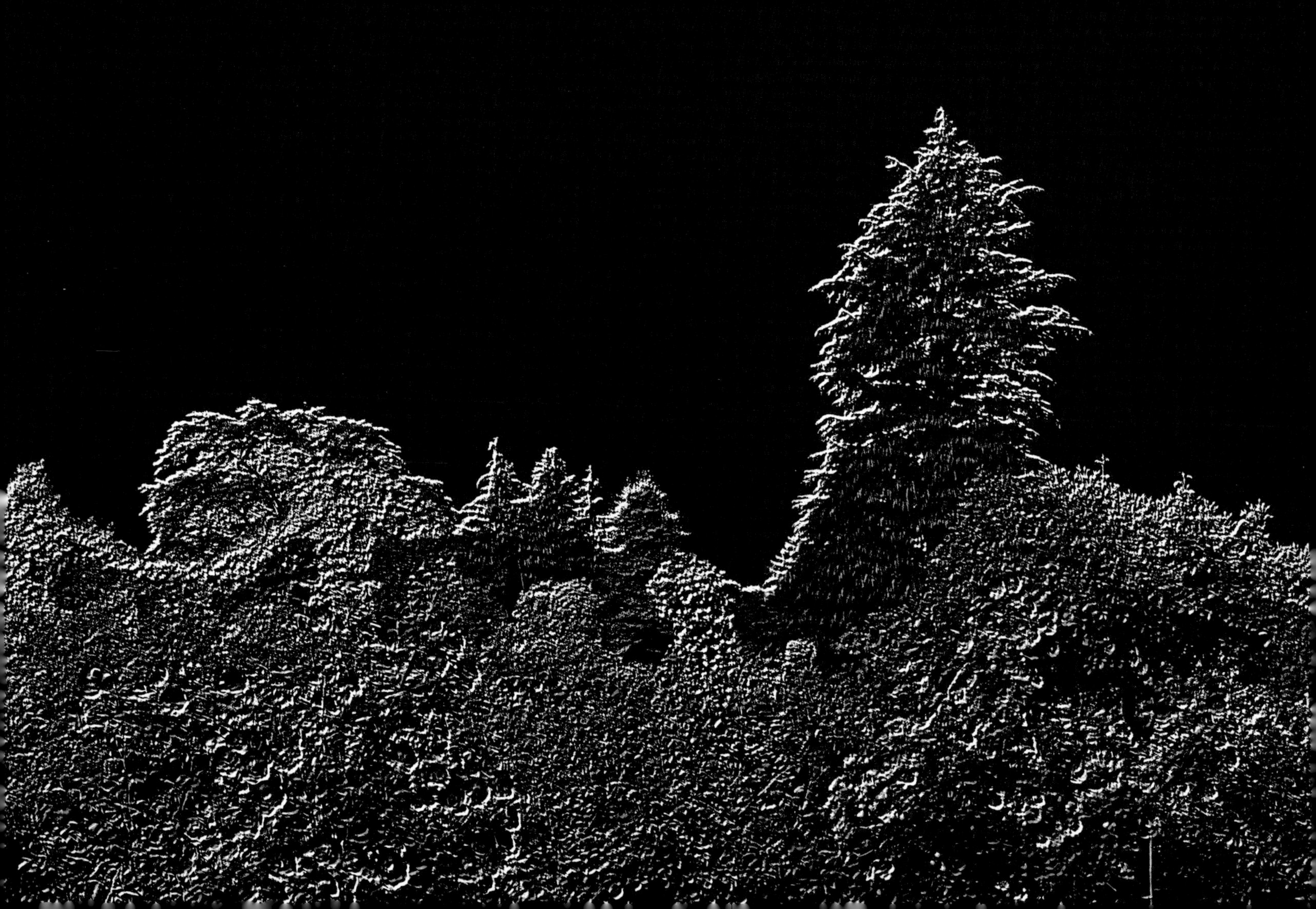

오후 2시 46분

"나 왔어!"
빈집에 들어서면서
소리치듯 울먹인다.
그리운 냄새들에
솟구치는 나의 흐느낌

단가(短歌) - 한구이 게이코(半杭螢子), 후쿠시마, 2011년 5월.

· 8장 ·

귀환

2011년 6월 11일 정부에서 최종 허락이 주어지기 전에 가츠는 후쿠시마에 있는 집에 잠시 돌아왔다. 이때는 강도 9도의 지진, 치명적인 쓰나미, 그리고 원자력발전소 대붕괴의 세 가지 재난이 겹친 날로부터 3개월이 되는 때였다. 그는 지진이 발생한 날에 내려진 급박하고 혼란스러운 대피 명령의 와중에서 두고 왔던 가재도구들을 수습하러 돌아왔다. 그 당시에는 후타바에 다시 돌아오기까지 그렇게 오래 걸릴 줄은 몰랐다. 당국에서는 정부의 통제 없이 반경 20km 안으로 진입하는 것을 금지했다.

보호 장비를 착용하고 방사선 계수기를 목에 걸고 가츠는 그의 집에서 네 시간 동안만 머물 수 있었다. 그의 아내는 헛간에 숨겨둔 안전 금고를 찾아보라고 했다. 그곳에 가보니 큰 지진 후 반복된 여진으로 금고는 완전히 파쇄되어 있었다. 그 금고를 파내는 데 주어진 거의 모든 시간을 허비했다.

차의 경적 소리를 들었다. "가야 할 시간이에요, 아버지." 아들이 소리쳤다.

곁눈으로 가츠는 정원을 언뜻 보았다. 잡초들이 자라기 시작했지만 장미가 보였다. 장미가 활짝 피어 있었다. 때는 6월이었고, 당연히 장미가 몹시 아름다울 시기였다.

그는 눈길을 돌렸다, 차마 장미들을 볼 수가 없었다. 그는 그들의 명료한 소리 없는 이야기를 들었다. "왜 당신은 우리를 버리고 떠났나요?" "왜 지금 돌아오셨어요?"

말없는 함성이 그를 마구 흔들면서 형용할 수 없는 감정의 물결에 온몸이 뒤틀렸다.

가츠는 재난이 몰아친 그 운명의 날 이후 1년 동안 다섯 차례 더 집으로 돌아올 수 있었다. 그때마다 그는 그 집에서 추가적으로 물건들을 회수하였다. 가장 귀하게 여긴 것은 아주 초창기부

터 정원에서 찍은 사진들이었다.

매번 가츠가 집에서 무엇을 가지고 나올 때마다 계수기로 방사능 수치를 측정해야 했다. 방사선 측정 바늘이 레드 존을 가리키면 그 물건들은 두고 나와야 했다. 관계자들은 출입금지 구역의 가장자리에서 모든 사람들이 규칙을 준수하고 있음을 철저히 확인하기 위하여 모든 것을 이중으로 체크하였다. 약국에서 파는 것과 별 차이가 없어 보이는 감기용 얼굴 마스크와 엉성한 보호 장비를 건네주는 동안 그들은 다시 훑어보았다.

한번은 검문소에 다다르기 전에 가츠가 아들에게 차를 돌연 세우도록 했다. 그는 차에서 내리면서 저항의 제스처로 마스크를 집어던지고 담배에 불을 붙여 폐부 깊숙이 천천히 빨아들였다.

· 9장 ·

편지

80
APEC
JAPAN 2010
双葉ばら園 社長様
(岡田さま)
三月十九日
したためました
岡田さま
このたびは、原発の問題で
大変でいらっしゃいますね。毎年
ばら園へ伺うのを楽しみにして
おりますので、心痛はいかばか
りかとお察し申し上げます。

친애하는 오카다 선생님,

선생님께서는 원자력 발전소의 재난으로 발생된 여러 문제들 속에서 아주 어려운 시간을 보내고 계실 것입니다.

지난 10년 동안 해마다 저는 사진을 찍기 위해서 선생님의 정원에 가는 것을 즐거워했습니다.

선생님께서 지금 얼마나 많은 고통을 느끼고 계시는지 저는 겨우 짐작만 할 뿐입니다. 이 고난이 조속히 해결되어 선생님께서 하루 속히 집으로 돌아갈 수 있기를 간절히 바랍니다.

저는 이 편지가 선생님께 제대로 들어갈지 알 수 없습니다. 그렇지만 단지 저의 생각이 선생님과 함께하고 있다는 사실을 알려드리기 위해 편지를 써야 했습니다.

저는 우리가 장미정원에서 재회하는 그날을 손꼽아 기다리고 있습니다.

기네푸치 히데미

2011년 3월 18일

어떻게 이 편지가 가츠에게 도착했는가는 일본 우편시스템의 입장에서는 적지 않은 성과였다. 후타바 지역자치의회는 사이타마(후쿠시마보다 도쿄에 가까운 지역)에 있는 실내축구장에 임시 지역사무소를 설치했다. 그 사이에 가츠는 아내와 함께 닥스훈트 코코를 데리고 이곳저곳의 임시 숙소를 다섯 차례나 전전했다.

그가 기네푸치 히데미의 편지를 받은 날은 4월 6일이었다. 그녀가 편지를 보낸 지 거의 3주 후였다. "이런 모든 고통과 고난의 와중에서도 어떤 사람이 나에게 연락하려고 많은 신경을 쓰고 나의 안녕을 걱정했다는 사실에 깊은 고마움을 표합니다."라고 가츠는 술회했다. "그녀의 편지는 내가 혼자가 아님을 깨닫게 해주었습니다. 나의 마음이 어둡고 어두운 터널 속에서 꽁꽁 얼어 망연자실한 상태에서 그 편지는 나에게 빛을 주었습니다."

기네푸치 히데미가 카메라를 든 것은 그녀가 예순이 된 후였다. 처음에 그녀는 어머니의 영향을 받았다. 아버지가 세상을 떠나신 후 그녀의 어머니는 젊었을 때 하던 사진촬영을 취미로 다

시 시작했다. 히데미는 어느 여름날 파리 여행 중에 장미에 매료되었다. "내가 파리의 한 모퉁이 작은 땅에 심어놓은 장미를 발견했을 때 엄마는 이리저리 다니며 보이는 것마다 사진을 찍고 있었습니다. 그곳에서 나는 장미와 사랑에 빠지게 되었어요. 그래서 저는 카메라를 매우 고맙게 생각합니다. 그것이 나를 어머니와 가까워지도록 했습니다. 어머니는 아흔네 살에 돌아가셨는데 저에게 장미에 대한 사랑을 깨우쳐주셨죠."

히데미는 장미를 전문으로 촬영하는 교습학원에 다니며 실력을 키워나갔다.

2011년 봄에서 여름으로 넘어갈 즈음 그녀는 후쿠시마를 다룬 일간지 기사를 보았는데, 가츠에게 그녀가 편지를 썼을 당시에 가졌던 낙관적 기대가 잘못되었다는 것을 알게 되었다. 그녀뿐만 아니라 다른 어떤 사람이라도 그 장미정원을 다시 방문할 날은 올 수 없게 되었다.

이러한 사실을 알게 된 충격은 깊숙이 각인되었다. 무엇보다도 그녀와 성스러운 장소와의 관계가 영원히 끝나버렸다는 것을 알았을 때, 그녀는 깊은 슬픔에 빠졌다.

"그 장미정원에 대한 내 느낌은 매우 고상했습니다." 히데미는 말했다. "지난 10년 동안 해마다 여름이면 나는 장미를 보기 위해 후쿠시마로 성지순례를 하였습니다. 장미꽃 하나하나가 신성했습니다. 그들은 너무나 완벽하게 사진을 잘 받았지요. 또한 몹시 우아한 풍모의 정원이었습니다. 프랑스 서남부의 루르드에 가는 것 같았습니다. 저는 그곳에서 주말을 보내고 나면 정신적으로나 신체적으로 더 상쾌해지는 것을 느꼈습니다."

· 10장 ·

참으로 놀라운 요청

끔찍한 지진의 1주기가 지나갔다. 엄청난 충격을 받았던 지역들은 폐허가 되고 부서진 채 남아 있었다. 전 세계에서 지원이 쏟아져 들어왔지만 희생자들의 고통을 덜어주는 적절한 정책과 광범위한 작업들이 현장에 효과를 미치기에는 아직 미흡했다.

마츠다 차코 히사코는 기네푸치 히데미의 사진촬영 선생님이었는데, 어떻게 기여를 할 수 있을까 줄곧 고심했다. 차코는 요코하마에 있는 작은 사진 스튜디오를 운영하고 강의를 하면서 두 아들을 데리고 빠듯하게 살았다. 한 아이는 특수교육을 받아야 했기 때문에 금전적인 기부를 하는 것은 불가능했다. 그녀는 사진의 힘을 이해하고 있었다. 그녀의 아버지가 유력 신문의 편집국장을 했었기 때문에 도호쿠 지방의 파괴된 정도를 보여줄 방법으로 어떻게든 사진을 사용하고 싶었다.

마츠다는 계획하고 있었던 히데미의 흑백 사진 전시회를 몇 개월 앞당겨 해야겠다는 마음을 먹었는데, 그중 일부는 후타바 장미원에서 찍은 것이었다. 그렇지만 그것만으로는 사태의 중요성을 실감 있게 전달하는 데는 부족하였다. 그녀는 오카다 가츠히데의 도움을 필요로 했고 그를 개인적으로 만나야 할 시점이라고 생각했다.

1950년대 츠쿠바 시가 관사로 지은 오래된 주택단지에 관계 당국은 가츠에게 임시거처를 배정해주었다. 도쿄에서 두 시간 정도 거리에 있는 츠쿠바는 비교적 녹지가 많고 가츠가 피난 직후에 체류했던 다른 도시들보다 덜 붐비고, 답답한 느낌이 그다지 않았다.

큰 방 한쪽을 칸막이해서 만든 좁고 지겨운 곳이었지만 우연하게도 거처에는 뒤뜰이 있었다. 그렇지만 가츠는 무엇을 키우고 싶은 욕망이 완전히 사라진 상태여서 그곳을 가꿀 마음이 없었다. 하물며 그 낡은 숙소를 조금 수리하기 위해서 근처의 DIY 숍에 들렀을 때도 그는 일부러 정원 도구를 판매하는 코너를 피해 갔다. 사람들이 적당한 곳에 심으려 전시되어 있는 플라스틱 용기에 식재된 어린 식물들을 보는 것조차 그에겐 고통이었다. 그것들은 그가 내버려두고 와야 했던 모든 것을 상기시켰다. 끊임없는 죄책감이 그의 가슴을 후벼팠다.

"차코로부터 전화를 받은 것은 츠쿠바로 옮겨온 지 대략 여덟 달이 되었을 때였습니다." 가츠는 회상했다. "그녀는 지진이 일어난 후 곧 나에게 편지를 보내온 여인의 사진촬영을 지도했던 선생님이라고 말하면서 전시회 등의 문제로 나를 보러 오고 싶다고 했습니다. 나는 만나겠지만 내가 도움을 약속할 수는 없다는 점을 분명히 했습니다."

차코는 큰 꾸러미를 가슴에 안고 도착했다. 그것은 그녀의 제자들이 가츠의 정원을 방문했을 때 찍은 수백 장의 사진들이

었다. 그녀는 그것들을 하나하나씩 보여주기 시작했다. 그 장미들이 학생들에게 얼마나 큰 의미가 있는지, 비록 마츠다 자신이 정원을 직접 보진 못했지만 정원의 아름다움과 매력이 사진들에서 뚜렷이 드러난다고 그녀는 말했다.

가츠는 그 사진들을 일부러 보지 않았다. 이에 신경쓰지 않고 마츠다는 말을 이어 갔다. 그녀는 사진들을 소파, 마루, 테이블 등 그의 주위에 온통 늘어놓았다. 시간이 흐르면서 가츠는 시선 둘 곳을 찾기가 어려워졌다.

그러면서 차코는 줄곧 선처를 부탁했다. "선생님께서 다음에 후쿠시마의 집으로 가실 때 제가 저의 제자들이 촬영했던 곳에서 같은 시각으로 정원 사진을 찍을 수 있도록 허락해주시기 바랍니다. 그렇게 함으로써 전시회에서 제가 선생님의 정원이 어떠했으며, 어떻게 변했는지 보여줄 수 있지 않겠습니까?"

이 제안은 가츠에게 아주 뜻밖이었다. 그녀를 만난 후 처음으로 그는 차코의 눈을 똑바로 쳐다보았다.

가츠는 마침내 그의 주위에 있는 사진들을 하나하나씩 보기 시작했다. 그것들은 그의 장미들이었다. 그는 그들을 알아보았다. 아름다웠다. 정교했다. 우아했다. 나무랄 데가 없었다. 그러나 사라져버렸다. 그러고 나서 천천히, 한마디 한마디씩, 생각의 꼬리를 더듬어 그의 감정을 말하기 시작했다. 분노, 슬픔, 그리고 원자로의 안전에 대해 몇십 년 동안 들어온 거짓들. 또한 다른 무엇보다도 그의 가장 사랑하는 장미를 내버려둔 슬픔과 그에 따른 가눌 수 없는 죄책감, 두 아들에게 아무것도 물려줄 수 없는 무능함, 그의 꿈을 접어야 하는 비통함에 대해서 이야기했다.

그리고서 그는 갑자기 말했다 "나도 지진 전에 정원에서 찍은 사진들이 있어요. 그것들을 보여드릴까요?"

"나도 선생님처럼 그렇게 해본 적이 있지요!" 차코는 회상에 잠기며 "그때 찍은 사진들도 역시 좋은 사진들이었어요."

"정말 좋습니다!" 그녀는 말했다. "이제 저를 선생님이 이것들을 찍은 그 장소에 데려다 주십시오."

가츠는 그들의 일곱 시간 동안의 대화에서 처음으로 미소를 지었다. 그리곤 금세 웃음을 터트렸다.

"당신은 쉽게 포기하지 않는군요!" 그는 말했다. "들어보세요, 몇 주 내로 후쿠시마의 집으로 갈 예정입니다. 그렇지만 그곳의 방사선 수준이 너무 높기 때문에, 당신을 위험한 곳에 데려갈 수는 없습니다. 내가 직접 사진을 찍겠습니다." "좋습니다, 그러면" 차코는 순순히 동의하였다. "그렇지만 반드시 이 사진들과 같은 각도에서 촬영해주세요."

대지진 발생 1년 뒤 2012년 6월의 장미원

대지진 발생 1년 뒤 2012년 11월의 장미원

대지진 발생 2년 뒤 2013년 6월의 장미원

野ばらの小径
世界の原種

· 11장 ·

진심으로 쓴 편지

前略
毎日暑い日がつづきます
近頃どうにか朝夕は多少は涼しく
なりまして、先日はお便りありが
とうございました。
東京、銀座で個展を開催されるとの事
大変おめでとうございます
東北の片田舎のバラ園の写真を東京
銀座でお披露されるとの事、うれしい
です。開催期間中に妻と見に伺う

기네푸치 부인께

다가오는 11월의 사진 전시회를 축하드립니다. 도쿄 한복판에서 도호쿠 지방 작은 마을의 장미정원이 여러분의 사진들을 통해서 햇빛을 보게 되어 저는 행복합니다. 아내와 함께 가서 관람을 하려 합니다.

여담입니다만, 이 달 초순에 후쿠시마의 집에 잠시 들렀습니다. 당신의 사진 선생님이신 마츠다 차코 씨로부터 사진을 찍어달라는 요청을 받았고 주어진 짧은 시간 안에 그것을 해내야 해서 일 년여 만에 처음으로 정원에 발을 들여놓게 되었습니다. 지진이 있은 후 15개월 동안 잡초들은 사람의 키만큼이나 자랐고 장미나무는 쉽게 찾아볼 수 없었지요. 빠르게 자라난 풀들을 옆으로 밀쳐내자 잎도 없는 작은 덩굴장미가 꽃을 피우고 있었어요. 풀밭길에 잡초들이 감당 못할 정도로 우거져 있었기 때문에 저는 그것을 짓밟고 헤쳐갈 수밖에 없었습니다. 멧돼지도 그곳에서 모든 걸 마구 헤집어놓았어요. 사람이 없으니 모두 대담해진 것이지요.

저는 아주 멀리서부터 정원을 보려고 왔던 여러분들과 다른 방문객들에게 매우 감사드립니다. 동시에, 저는 여러분들을 즐겁게 해드리고 싶어서 그 정원을 끊임없이 잘 가꾸어야 한다는 중압감을 받았지요. 그래서 43년 동안, 믿을 수 있는 정원으로 가꾸는 데 최선을 다했습니다. 하지만 그런 모든 땀과 고된 일들이 부질없다는 것을 생각하면 깊은 분노와 후회만을 느끼게 됩니다.

사람들은 우리가 앞으로 40년이나 50년 동안 집으로 돌아갈 수 없을 것이라고 합니다.

이따금 저는 어떤 다른 곳에 또 새로운 정원을 만들기 시작하는 것을 상상해봅니다. 그러나 지금의 저는 어떠한 결정도 내릴 수가 없습니다.

전시회가 모든 면에서 성공하길 빌면서,
오카다 가츠히데 드림
2012년 6월 23일

· 12장 ·

주인 잃은 장미

이제 그의 가족은 그와 아내 그리고 개, 이렇게 셋으로 줄어 불확실한 미래를 향해 새로운 생활에 적응해 가고 있었다. 그 과정에서 혼돈과 허탈감으로 인한 침통한 나날들이 흘러갔다. 한때는 두 아들과 그들의 식구들 그리고 고용인들을 포함해서 거의 서른 명의 가츠 가족들이 아주 가까운 거리에 살았다. 이제 모두들 각자 다른 지역의 여러 임시거처로 흩어졌다.

"그냥 숨만 계속 쉬어요."라는 말만 들어도 그의 머릿속은 무언가로 휘저은 듯 복잡해졌다. 숨 쉰다는 것 그 자체만으로도 힘겨운 날들이었다. 그러던 어느 날 무엇이 그의 눈을 사로잡았는데 그것은 사람들이 다니는 길가의 철조망 주위를 감고 있는 듬성듬성 자란 작고 애처로운 흰색 야생장미였다. 그것은 눈에 안 띄는 도로를 따라 자라는 아무도 돌보지 않는 잡초처럼 보였다. 장미 본래의 아름다움과 자신감을 속절없이 잃어가고 있었다.

가츠는 그것을 보았지만 무심코 지나쳤다. 그러다가 가츠는 멈추어 뒤돌아 다시 쳐다보았다. "내가 돌볼까?" 그 생각이 그의 머리를 스쳤다. 그 순간 죄책감이 가슴속으로 밀려들었다.

예전에는 저런 것들을 그냥 스쳐버리는 경우가 많았다고 그는 생각했다. 그러나 유독 이 장미는 의지할 곳 없이 너무 고독하게 보였다. 아무도 그를 주목하지 않았다. 오직 이 장미 하나라면 아마 후쿠시마의 장미들이 질투하지 않을 거야. 그들은 나를 용서해줄 거야.

가츠는 그 장미에게 달려가 가지 하나를 잘라내어 집에 심어야겠다는 생각을 했다.

· 13장 ·

첫 전시회

명품 매장들과 고급 술집들이 즐비한 화려한 도쿄 긴자 한가운데 어느 조용한 갤러리에서 히데미가 찍은 40여 점의 사진들 앞으로 길게 늘어선 관람객들을 보면서 기네푸치 히데미, 마츠다 차코와 함께 오카다 가츠히데는 서 있었다.

조금 더 가까이에서 사진을 보려고 사람들은 이리저리 움직였고, 해설을 읽기 전에 가능하면 많은 것을 떠올리려고 애를 쓰면서 사진들과 비교하여 서로 알아맞히기 게임을 하듯 하였다.

도쿄에서… 후타바에서… 파리에서… 예상한 대로 관람객들은 후쿠시마가 묘사된 사진들 앞에 더 길게 서 있었다.

전시실 가운데 테이블에 작은 사진 앨범이 하나 놓여 있었다. '오카다 가츠히데의 후타바 장미원 2010년 6월 7일~2012년 6월13일'.

방문객들은 머뭇거리며 그 앨범을 집어서 천천히 한 장씩 넘겼다. 딱 10쪽인 앨범 안에는 모두 열아홉 장의 사진들이 전부였다. 그 첫 여덟 장의 사진들은 나무들을 배경으로 하여 잡초들만을 보여줬다. 그 다음 여덟 장은 버려진 격자 울타리를 풍성하게 감고 있는 흰 장미 덩굴과 무성하게 자란 잡초 숲의 세계, 밝은 분홍 꽃으로 둘러싸여 먼 곳을 응시하고 있는 여인 조각상, 그리고 초목이 우거져 푸른 산책로를 따라서 세심하게 다듬어진 토피어리가 대상들이었다. 나머지 석 장은 웃자란 잡초들 사이로 쓸쓸하게 내다보고 있는 장미들을 보여주는 사진이었다.

사진의 내용을 뒤늦게 알아차린 관람객들을 같은 장소와 각도에서 촬영한 앞서 본 사진들이 있는 페이지로 뒤돌아 가야 했다. 그들은 고통스러운 정원의 변형을 실제로 겪는 듯 책자를 내려놓으며 눈물을 흘리면서 기다리던 다음 사람에게 그것을 건네주었다.

차코의 직감이 말해주듯 가츠의 장미와 정원을 다룬 전시들은 자연의 무한한 힘과 인간의 엄청난 과오 때문에 잃어버린 낙원의 이야기를 들려주었다. 차코가 가츠에게 촬영을 요청한 사진들은 피해 주민들을 대변했다. 차코는 도호쿠 지방의 지진의 희생자들의 연대를 표현할 수 있는 그녀의 방법을 마침내 발견했다.

사진첩 주위의 광경들을 조용하게 살피고 있던 가츠에게 내면의 변화가 일고 있었다. 사람들은 관심을 가지기 시작했다. 사람들은 그의 고통을 이해했다. 그리고 그의 장미들의 소리 없는 비명을 들었다.

몇 달 만에 처음으로 가츠는 영혼 속으로 꽃이 다시 피어나는 듯 마음이 따뜻해지는 기분이 들었다.

· 14장 ·

한 걸음씩 미래를 향하여

2013년 12월까지 마츠다 차코는 도쿄, 후쿠시마, 센다이(쓰나미에 심한 피해를 입은 또 다른 지역), 이바라키, 니카타, 그리고 지푸에서 가츠히데의 정원과 그곳의 장미에 대한 사진 전시회를 개최하였다. 예리한 감각을 지닌 그녀는 재난으로부터의 심리적 거리에 따라서 도시마다 전시 디자인을 각각 다르게 하였다.

도쿄나 도호쿠 지방에서 거리가 먼 곳에서는 무참히 파괴된 모습에 그녀는 보다 역점을 두었다. 그녀는 심각한 타격을 입은 지방 내에 있거나 그곳과 가까운 지역에서는 아주 아름다운 이미지를 선택하면서 지진 이후의 정원 사진 한두 장만 보여주었다. "이곳의 사람들에게는 그 무서운 날을 상기시킬 필요가 없었습니다." 그녀는 말했다.

전국이나 지역 신문들과 TV 방송국은 스토리가 있는 전시회라는 것을 특징으로 삼았는데 이런 관점이 아직까지도 여러 도시에서 전시회를 개최하길 요청을 하는 결과를 만들었다. 가츠는 미디어로부터 그의 이야기를 들려달라는 요청을 받기 시작했다.

처음에는 가츠는 경직되었고 자기 경험을 이야기하는 데 주저했지만 그는 곧 이러한 기회들을 즐기기 시작했다. 그가 이야기를 할 때마다 상실과 죄책감 그리고 슬픔을 말로 옮기는 과정에서 치유 효과를 느끼게 되었다.

4개월에 겨우 한 번 후쿠시마 집을 방문할 수 있는 그의 긴박한 여행 또한 새로운 의미를 갖기 시작했다.

방문할 때마다 그는 정원에 들어가서 사진을 찍을 수 있는 충분한 시간을 사전에 배려했다. 그때마다 상황은 악화되었지만, 그는 그가 예전에 조성해놓았던 것에 대한 새로운 연관성을 느끼게 되었다. 그가 셔터를 누를 때마다 예전에 그곳에 있었던 그 활력을 상기하게 되었다. 옛 정원으로 들어가는 한걸음 한걸음이 쓰러진 나무들에 대한 기도였고 그의 슬픔과 기쁨을 표현하는 기회였다.

그날의 2주기가 막 지난 2013년 늦은 3월의 어느 날, 여느 때와 같이 가츠는 아침 일찍 일어났다. 날마다 하던 아침 산책 대신 그는 츠쿠바에서 임시로 살고 있는 집의 뒤뜰로 바로 들어갔다. 아침 공기는 여전히 겨울의 매서움을 안고 있었지만 이른 햇살은 봄의 생기를 띠었다. 사명을 받은 사람같이 잡초를 쳐내고 있는 남편을 가츠코는 보았다. 식사 시간에만 그를 집안에서 볼 수 있었다. 그녀는 후쿠시마에서 알았던 그 사람으로 되돌아 온 가츠를 보았다.

"그의 집중력과 활력은 나에게 많은 영향을 준 것 같아요, 나도 지난 2년 동안 지냈던 것보다 좋은 느낌을 가지기 시작했어요."

한 달 만에 가츠는 그의 미니 정원을 완성했다. 그의 꿈의 어떤 작은 실현이었다. 5월의 길가에서 가지를 잘라 가져와 삽목(揷木)했던 보잘것없었던 흰 장미는 가츠 정원의 멋진 새 식구가 되었다.

지난 50년간 장미와 교감하며 아름답게 가꿔온 오카다 가츠히데.

· 15장 ·

끝맺는 말

가츠는 '예스'라고 말할 수 있을지 확신하지 못했다.

너무도 많은 일들이 그를 과거 속으로 계속 끌어당겼다. 미래에 대한 근심들로 그는 밤잠을 이루지 못했다.

가츠의 장미원을 독성이 가득한 불모지로 만든 도쿄전력회사(TEPC)에 대한 고소를 준비하면서 그는 잃어버린 것을 평가하고 또 평가하였다. 그것은 마치 후퇴하면서 전진하는 것 같았다. 변호사들은 이 사건이 많은 시간과 노력이 소요되는 일이라고 주의를 환기시켰다. "나는 과거에 연연하는 사람은 아닙니다. 그러나 두 아들의 미래를 위해서 내가 할 수 있는 모든 일을 해야만 했습니다. 그것이 나를 어딘가로 인도할 것이라는 믿음으로 일흔 살의 나이에 내가 이 전쟁터를 오랜 시간 이렇게 힘들게 걷고 있는 이유입니다." 그의 말에는 피로함이 묻어 있어도 결의에 찬 느낌을 주었다.

가츠가 현재의 편안함 속에 안주하지 못하게 하는 또 다른 불안은 정부가 제공한 임시 숙소에서 2년 안에 나가야 한다는 것이었다. "관계당국의 책임자들은 그때까지 제반 문제를 해결하여 우리가 오래도록 살 수 있는 곳으로 이주할 것을 요구했습니다. 그렇지만 조상이 물려준 땅을 잃어버렸을 때 당신의 경우라면 평생 살 곳을 결정하는 척도는 무엇일까요?" 그런 무거운 사안들에 눌려 평소 긍정적인 사고를 가진 그 자신과 답을 찾기 위하여 들어가야 하는 막막한 심연과의 간극에서 고민하고 있었다.

그래서 핸즈 온 도쿄(Hands On Tokyo)라는 비영리 단체의 대표자가 어린이집 장미정원을 만드는 일 때문에 그를 찾아왔을 때 가츠는 이 일을 수락할지 답을 찾지 못했다. 우연하게도 같은 도시인 츠쿠바에 그 어린이집이 있었다.

그러나 그가 그 어린이집에 한번쯤 가봐야겠다고 생각하고 방문했을 때, 장미 가꾸는 일이 어떻게 생활교육이 될 수 있는지에 대해서 그는 원장선생님과 열띤 토의를 하게 되었다. "장미는 정직합니다. 그들은 사랑과 애정에 반응합니다." 가츠는 말했다. "올바른 지침이 주어지면 여기 어린이들은 일반 정원 가꾸기보다 훨씬 많은 것을 배울 수 있습니다." 원장에게 그는 답변했다. 그러면서 가츠는 설명하였다. "여기 일부 어린이들은 아마도 마음속의 아픔들이 있을 것입니다. 나도 그렇습니다. 이런 관점에서 우리는 실제로 서로 비슷합니다."

가츠는 이렇게 말했다. "좋습니다. 내가 하겠습니다. 우리가 10월에 터 고르기를 시작해서, 2월에 장미를 심을 수 있습니다. 격자구조물에 흰 야생장미를 유인해 올리고 아래쪽에는 어린이들의 건강에 영향을 미치는 살충제나 다른 농약의 살포가 필요치 않은 내병성이 강한 관목 장미를 키울 수 있습니다. 내가 장미가 자라는 과정에서 가꾸는 방법을 가르쳐주기 위해서 정기적으로 찾아오겠습니다. 2년 안에 결실이 눈에 보여야 합니다. 그것이 나와 아이들이 함께 꿈을 가꾸어 가는 기회를 만들어줄 것입니다."

열정적인 교장선생님과 기꺼이 협조하려고 하는 어린이들, 다수의 자원봉사자들과 함께 가츠는 이제 똑바로 앞만 보고 그가 할 수 있는 일에 매진하려고 한다. 아마도 한두 아이들은 가츠와 같은 전문가의 경지에 이르게 될 수도 있을 것이다.

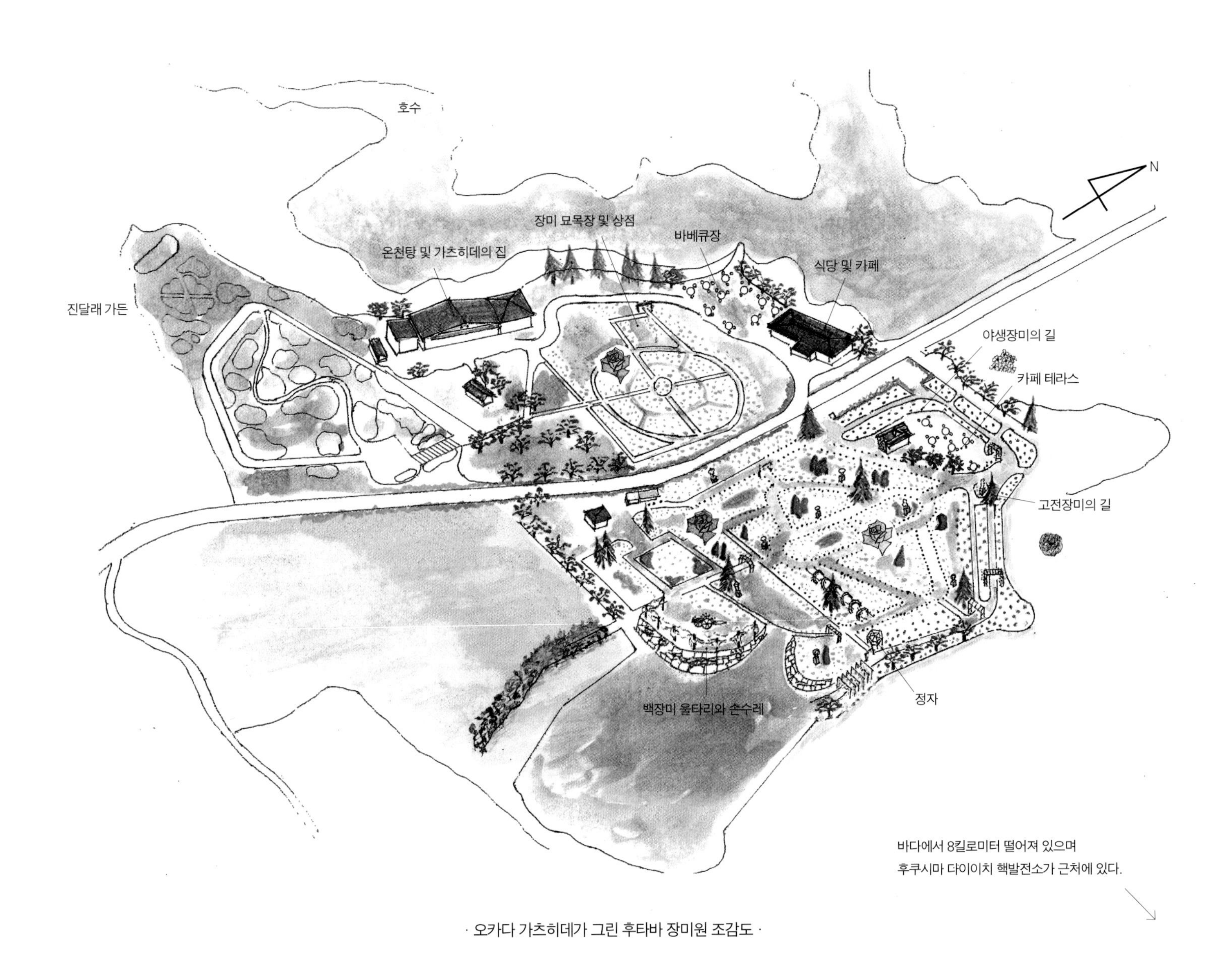

· 오카다 가츠히데가 그린 후타바 장미원 조감도 ·

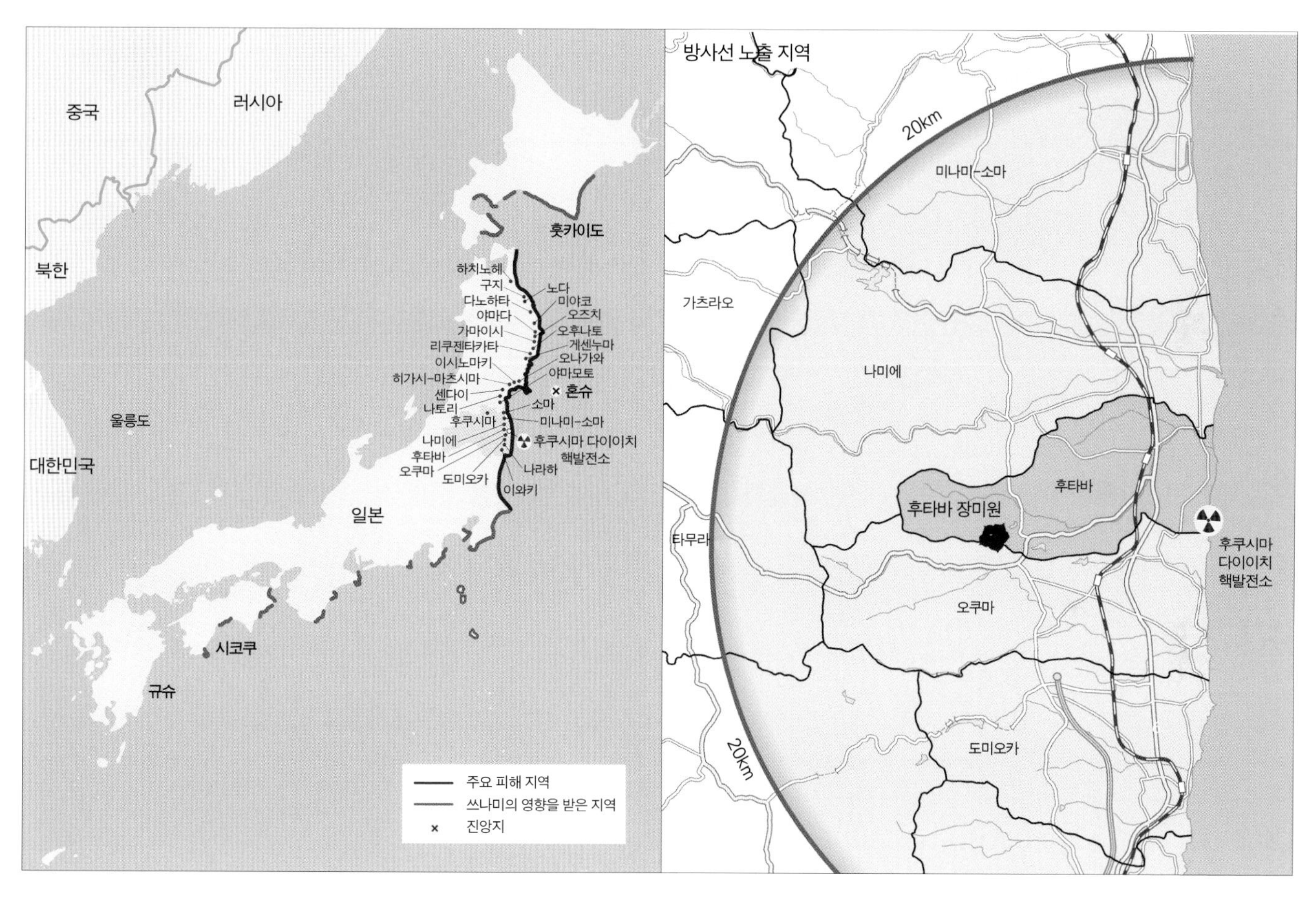

후쿠시마 대지진 피해 지역을 표시한 지도

후타바 장미원이 있던 곳을 크게 확대한 지도

· 사진 출처 ·

요코하마 장미사진회 회원들

마츠다 히사코(松田久子)

가토 다에코(加藤妙子)

기네푸치 히데미(杵淵英美)

기쿠치 히데미코(菊池恵美子)

나카모토 미츠루(中元満)

나카이 아츠코(中井厚子)

다나카 사카에(田中栄)

다나카 요코(田中陽子)

미야사카 데루코(宮坂照子)

스즈키 에이코(鈴木栄子)

아이자와 나츠키(相澤夏紀)

이시가와 야노스케(石川彌之助)

39쪽 | 미카나기 유키(御巫由紀), 오비가네 요코(帯金葉子)

54, 55쪽 | 이마이 히데하루(今井秀治)

70, 102쪽 | 마야 무어

112쪽 | 오카다 가츠히데 사진: 마츠다 히사코

표지날개 저자 사진: 라이앤 와카바야시(Liane Wakabayashi)

· 감사의 글 ·

이 책이 빛을 볼 수 있도록 해주신 여러분들께 진심으로 감사드립니다.

무엇보다도 먼저 한국에서 책이 출간되는 믿기 어려운 기회를 마련해준 한국장미회 김욱균 회장님에게 감사드립니다. 김 회장님과 궁리출판 덕분에 저와 한국의 장미 애호가들이 서로 나눌 수 있는 것이 생겨서 정말 기쁘게 생각합니다. 저에게는 큰 영광이 아닐 수 없습니다.

장미의 전문성을 말하기 전에 오카다 가츠히데 씨는 순수한 끈기와 인내심의 상징으로 남아 있습니다. 믿기 어려운 일입니다만 아직도 도쿄전력주식회사는 오카다 씨가 43년간 만들어 온 명품 정원을 경작된 산림지대 정도로만 생각하고 있습니다. 따라서 그가 일본의 어딘가에 새로운 정원을 조성할 수 있도록 적절한 보상을 해야 하는데 계속 이를 거부하고 있습니다. 오카다 씨는 장미 관련 지식뿐만 아니라 한결같은 성품을 가지고 있어 제가 정말 존경하는 분입니다.

마츠다 히사코 여사는 나의 맹렬한 비판자이자 자문역이며 소중한 친구로 남아 있습니다. 밤늦도록 사이버 공간에서 사진들을 일일이 확인하고 점검하고 또 점검하면서 모든 것이 디지털화되는 시대에 저를 긍정적으로 지켜주고 용기를 북돋아주었습니다. 그녀의 후원이 있었기에 우리는 할 수 있었습니다.

이 책을 전 세계 로자리안들에게 알리는 데 도움을 준 오가와 아키라 박사, 2018년 덴마크 코펜하겐에서 개최된 제18차 세계장미대회에서 김욱균 회장님을 처음 소개해준 일본장미문화연구소의 마에바라 가츠히코 이사장, 호소력 있는 서문을 보내준 존 루스 전 주일미국대사, 기네푸치 히데미 여사, 미카나기 유키 박사, "The Book of Excellence Award"의 영예를 안겨준 세계장미회, 그리고 마지막으로 사랑하는 남편 히라야마 다케히사, 나의 아들 다이루와 딸 모엣에게도 감사를 드립니다.

· 옮긴이의 글 ·

2013년 6월이었다. 세계장미회(WFRS-World Federation of Rose Societies) 연차대회가 구동독의 유서 깊고 아름다운 장미마을 상거하우젠에서 개최되었다. 행사에 참가한 일본장미회 회원들은 엄청난 재해로 일본 최고의 장미정원을 잃어버렸다는 소식을 세계 각지에서 참석한 로자리안들에게 전하였다. 일본의 도호쿠 지방 후쿠시마에 거대한 쓰나미가 밀어닥치고, 원자력발전소의 방사능 유출 사고가 일어난 지 2년여가 지난 즈음이었다. 이 소식과 함께 저 아름다웠던 장미정원을 기억하고 장미를 통해서 희망과 위로의 활동을 펼치기 위한 노력이 사회적으로 전개되고 있다고 하였다. 그 일환으로 고전장미와 덩굴장미 클럽 회원들과 아마추어 장미사진 동호인들이 중심이 되어 잃어버린 장미정원의 사진전을 전국을 순회하면서 개최하고 있다는 이야기도 듣게 되었다.

저자 마야 무어와의 첫 만남은 이 소식을 전해들은 지 5년이 지난 2018년 6월 코펜하겐에서 개최된 WFRS 총회 자리였다. 그동안의 사연과 활동이 책으로 엮여 출판되었고, 그 책은 WFRS 최고의 영예를 가진 장미서적 분야의 수상작으로 선정되었다.

이 책은 장미를 통해서 연결되는 로자리안들의 이야기이다. 장미는 사랑과 평화의 의미를 담아내는, 삶을 풍요롭게 하고 사람들을 결속시키는 힘이 있다. 젊은 시절 장미에 매료되어 평생을 바쳐 일본 최고의 장미원을 가꾸었지만 후쿠시마 대지진으로 졸지에 정원을 송두리째 잃어버린 정원사, 오랜 세월 때맞춰 피어나는 장미의 신비로운 순간들을 카메라에 담아온 장미사진 동호인들, 잃어버린 장미정원 속에 담긴 의미와 문화를 찾으려 애쓰는 장미 애호가들. 이들이 절망 속에서도 장미를 매개로 서로 위로하고 용기를 북돋아 새로운 꿈과 희망을 만들어가는 감동적인 사연을 생생하게 전하고 있다.

우리나라의 장미문화에 관한 유래는 삼국시대로부터 시작되며, 많은 문장과 시, 그림으로 그 유산이 남아 있다. 또한 오늘날의 정원장미의 원류인 야생장미들은 우리의 삶과 정서에 오롯이 남아 있으며 찔레와 해당화에는 우리 민족의 기쁨과 슬픔을

아우르는 한국인의 소박한 애환이 깃들어 있음을 우리는 몸으로 느끼게 된다.

현대에 들어서도 해방 이후, 서울, 부산, 전주, 경주, 진주, 마산 등 우리 사회 곳곳에서 장미를 가꾸거나 장미 전시회를 개최하고 회보를 발간하는 등 왕성한 활동을 했던 장미 애호가들의 흔적을 찾아볼 수 있다. 또한 우리 사회가 고도성장을 시작하기 전에는 집 앞마당이나 뒤뜰에는 채소밭을 겸한 작은 꽃밭이 있었다. 어머니의 마음 한구석 같은 그 소박한 꽃밭에 맨드라미, 봉숭아 같은 꽃들과 함께 장미를 즐겨 심었다. 학창시절 초여름이 되면 담장을 에워싸고 뻗어나가는 붉은 장미를 기억하고 있다. 그러나 압축성장이 가속되던 1970년도 산업화의 용솟음 속에서 아파트의 보편화는 우리 주거문화를 변화시켰고, 앞 뒤꼍을 가꾸던 정원문화는 서서히 자리를 잃게 되었다. 이에 따라 장미를 가꾸고 좋아했던 장미문화도 같이 사라지고 우리와 함께 해왔던 소박한 장미정원도 기억으로만 남게 되었다.

다행스럽게도 최근에는 우리 사회도 정원과 정원문화가 되살아나고 장미에 대한 관심 또한 크게 높아지고 있다. 이 책이 장미서적 분야의 수상작으로 발표된 세계장미회 총회는 WFRS가 창립 50주년을 맞는 자리였을 뿐만 아니라, 한국장미회가 41번째 회원국으로 입회가 승인되는 특별한 자리이기도 하였다. 한국장미회(Korea Rose Society)는 2009년부터 장미공부모임으로 출발한 사계장춘회(四季長春會)가 모체가 된 서울로즈클럽이 중심이 되어 장미에 대한 정보와 지식을 나누고자 활동을 시작하게 되었다.

이번에 출간되는 『잃어버린 장미정원』이 우리 사회에 장미에 대한 이해를 증진시키는 데 도움이 될 뿐만 아니라, 우리의 잃어버린 장미문화와 유산을 찾아보고 끊어졌던 우리 사회 로자리안 활동의 맥을 이어갈 수 있는 작은 디딤돌이 되었으면 한다.

부록

장미에 대한 짧은 문화사

잃어버린 장미의 이름을 찾아서

장미 품종별 분류표

· 장미에 대한 짧은 문화사 ·

김욱균(한국장미회 회장)

인류 문명의 시작을 함께한 꽃, 장미

사랑과 아름다움의 상징으로 인구에 회자되는 장미는 동서양을 아울러 사람들의 관심과 사랑을 가장 많이 받는 식물 중 하나이다. 서양의 신화, 전설, 문학, 미술작품 등에서 장미를 소재로 고대시대부터 수많은 이야기들이 꾸준히 이어져왔다. 어쩌면 인류에 가장 큰 영향을 준 식물이라 할 수 있다. 장미에 대한 최초의 글은 메소포타미아의 수메르와 바빌론 사람들의 기록으로 전해지고 있다.

고대 이라크의 신화 길가메시의 서사시에 가시를 가진 꽃으로 묘사되어 인간을 불멸에 이르게 하는 경이롭고 전설적인 식물을 학자들은 장미로 추정한다. 고대 이집트, 그리스, 로마 신화 등의 장미 이야기는 오랫동안 다양한 상징과 은유를 통해 삶과 죽음의 여러 요소를 표현하기도 하고 사랑과 아름다움 외에도 숱한 신비와 수수께끼를 담기도 하였으며, 더러는 침묵과 서약을 암시하기도 하였다.

이러한 장미는 다른 식물에서 쉽게 찾아볼 수 없는 매혹적인 향기, 다채로운 꽃의 색깔과 질감, 다양한 꽃의 형태를 가진 아주 특별한 미적인 요소가 있다. 뿐만 아니라 인문학적인 소재도 매우 풍부하여 장미의 창을 통해 세상을 들여다보면서 아름다움을 추구하고 지적인 충만감도 느끼게 된다. 이처럼 세계인들의 사랑을 받아온 장미는 인류의 주요 문명이 시작되고 변화되는 시점에 자주 등장하는 스토리텔링적인 요소가 많다.

그리스 신화시대에는 미의 여신 아프로디테의 꽃으로 아름다움을 상징하여, 세속적인 사랑과 성스러운 사랑을 동시에 함축하였다. 로마가 제국을 건설했을 때는 비너스의 꽃으로 화려한 번성의 시대를 맞게 된다. 로마시대 비너스는 사회적 · 문화적 상징성이 컸다. 많은 도시들이 비너스의 이름을 그들의 도시 이름에 넣고 있었다. 비너스의 항구를 뜻하는 포르투스 베네리스(Portus Veneris)는 아직도 이탈리아 북부와 프랑스 남부의 도시에 그 이름이 남아 있는데, 비너스를 수호자로 여긴 문화적 흔적이다. 우리에게 잘 알려진 이탈리아 남부의 고대도시 폼페이도 바다를 접한 비너스의 항구였다. 이러한 비너스의 영향으로 로마시대 장미는 예술, 건축, 정원, 장식, 생활의식 속에서 다양하게 활용되면서, 로마인의 라이프 스타일과 일상에서 장미문화가 크게 꽃피기 시작했다.

기독교 문명이 유럽에 도래하여 중세로 접어들면서 장미는 성모 마리아의 꽃으로 상징되어 성스러운 사랑의 이미지를 가지게 되었다. 로자리움으로 알려진 중세 유럽의 장미정원은 기독교와 장미에 대한 관련성을 말해주고 있다. 뿐만 아니라 장미는 이슬람 문화와도 깊은 관련성이 있다. 고대 페르시아에서는 장미기름을 만들어 상업적 · 문화적으로 활용하고 또한 영적인 활동에 장미를 사용하였다. 아랍 원산의 다마스크 품종(*Rosa damascena*)의 장미는 오늘날에도 세계의 장미 에센스 산업을 주도하고 있다. 이슬람교의 예언자 마호메트는 일상의 영적 수행에 로즈오일을 사용하였다고 하는데, 장미꽃의 완전성이 이슬람의 영적인 정서를 함축하는 상징으로 여겼다고 한다.

불교에서는 어떠한가? 중첩된 꽃잎이 켜켜이 피어나는 장미꽃의 이미지는 연꽃과 함께 만다라의 중심인 열반으로 가는 길을 연상시킨다. 바로 사람의 마음을 상징하는 꽃의 형상이다. 이러한 연유로 분석심리학의 창시자로 알려진 스위스의 정신과의사 칼 융은 장미가 심리적 완전성과 마음의 통일성을 표현하고 구현하는 불교적 상징이 있다고 해석한다. 이렇듯 고대시대부터 여러 문명에 걸쳐 오늘에 이르기까지 장미는 사람들의 마음과 가장 가까이 있는 식물이라고 할 수 있다.

동양의 월계화, 유럽에 상륙해 현대장미가 되다

우리는 흔히 장미를 서양 고유의 식물이라고 쉽게 단정한다. 또한 현대장미가 동양에서 서양으로 건너간 사실을 알고 있는 사람은 많지 않은 것 같다. 장미는 본래 자연에서 서식하는 야생 들장미(Wild Rose)가 사람들의 기호에 맞게 변모하여 정원장미(Garden Rose)가 되었다. 야생장미는 찔레나 해당화같이 자연에서 자생적으로 서식하는 장미이며 우리나라의 산이나 해변에서 볼 수 있는 생열귀나무, 인가목, 돌가시나무, 용가시나무도 야생장미다. 세계적으로 200여 종의 야생장미인 원종장미(Species Rose)가 지구의 북반구에서만 자생하고 있다.

오늘날 우리가 접하는 장미는 5월에 꽃을 피우기 시작하여 서리가 내리는 11월 하순까지 피고 지기를 반복한다. 이런 장미를 현대장미(Modern Rose) 혹은 사계장미라고 한다. 사계절 내내 반복적으로 꽃을 피우기 때문이다. 오랜 시간 서양문화와 함께해온 서양의 고유장미는 여름 한철에만 피는 여름장미였는데, 일 년에 한 번만 개화하는 장미를 고전장미(Old Rose)라 한다. 반면 중국과 한국에는 일 년에 여러 차례 개화를 반복하는 정원장미가 있었다. 중국에서는 이를 월계화(Monthly Rose, 학명 *Rosa chinensis*)라 했으며 우리나라에도 반복 개화하는 사계화라는 장미가 있었다는 기록이 옛 문헌에 남아 있다.

18세기 말에서 19세기 초, 반복 개화하는 사계장미인 중국의 월계화가 유럽에 전해진다. 이 시기에는 영국 등 유럽에서는 원예에 대한 관심이 사회적으로 고조되면서 새로운 식물을 찾는 식물 채집자(plant hunter)들이 동양의 희귀식물을 수집하기 위해서 중국을 중심으로 활약하였다. 그들은 중국의 남중부나 서남지방에서 확보된 식물들을 마카오나 중국의 광저우, 인도의 콜카타 항을 통해서 유럽에 들여갔다. 1789년 동인도회사에 근무하는 존 리브는 영국 런던의 이름난 정원가인 길버트 슬레이트가 소유한 개인 정원에 붉은 색 월계화를 소개한다. 후에 슬레이터스 크림슨 차이나 로즈(Slater's Crimson China Rose)로 명명되는 이 장미가 기록상으로 동양에서 서양에 전해진 첫 월계화 장미였다. 이를 시작으로 네 품종의 월계화가 영국에 수입되어 프랑스 등 유럽 각지로 전해진다. 영국 런던의 큐 가든, 프랑스 파리의 말메종 등 유명정원이나 식물 애호가들은 앞다투어 이런 희귀장미를 수집하였다. 장미에 대한 오랜 문화적 배경을 가지고 있는 유럽사람들은 그들의 장미와는 다르게 꽃을 반복해서 피우는 중국장미에 많은 호기심과 관심을 가지게 되었고, 육종가들은 유럽 고유의 고전장미들과 교잡을 하게 된다. 오늘날 세계인들의 사랑을 받는 현대장미가 탄생하는 단초는 이렇게 동양에서 건너간 장미가 종자가 되어 일어난 셈이다. 이 네 품종의 종자장미(stud rose) 중 두 개 품종인 올드 블러시 차이나 로즈(Old Blush China Rose)와 파크스 티 센트 차이나 로즈(Park's Tea-Scent China Rose, 50쪽)가 이곳 후쿠시마 후타바 장미원에 수집되어 있었다.

우연히도 월계화가 유럽에 처음 소개될 때는 프랑스 혁명이 일어난 1789년 즈음이었다. 혁명 전 프랑스의 구체제가 붕괴하듯이, 월계화의 상륙으로 장미 세계에서도 한 계절 꽃을 피우던 유럽 고유의 고전장미 체제가 사계절 꽃을 피우는 새로운 장미의 체제로 변화를 모색하게 된다. 그리고 또 우연일까? 프랑스 혁명의 중심이 된 나폴레옹의 첫 부인 조세핀 황후는 열정적인 장미 애호가였다. 파리 말메종 궁의 그녀의 정원에는 많은 종류의 장미가 수집되었다. 영국으로 간 중국의 종자장미들도 조세핀의 정원에 1798년부터 수입되기 시작한다. 전쟁으로 영국군이 프랑스의 항구들을 통제하고 있을 시기이지만 조세핀에게 가는 장미는 특별 허용되었다. 그녀는 장미정원의 조성과 더불어 장미의 재배, 번식, 육종에도 관심을 가졌다. 뿐만 아니라 장미와 원예식물을 세밀하게 묘사하여 기록하고 보존하였다.

말메종 궁의 화가 피에르 조세프 르두테가 전한 장미(Redoute's Les Roses) 그림들에는 많은 장미의 유산이 남아 있다. 우아하고 섬세하게 묘사된 그림은 미적인 아름다움과 함께 이후 장미의 식별과 분류에도 크게 기여하였다. 이러한 제반 활동을 조성하고 지원한 조세핀은 장미의 보전과 장미문화 함양에 지대한 공헌을 하였다고 오늘날 평가된다.

이러한 영향일까? 프랑스는 19세기 새로운 장미 육종의 중심이었다. 월계화의 도래 이후 프랑스, 영국, 네덜란드 등 유럽 각지에서는 사계절 개화 형질을 가진 장미의 생산을 위해 집중적이고 경쟁적인 육종이 시도된다. 중국 월계화와 다마스크 장미 등의 유럽 고전장미와의 교잡, 혹은 사향장미로 알려진 머스크 장미와 월계화의 교배 등 다양한 방식의 육종활동이 전개된다. 1867년, 여러 육종의 중간 과정을 거쳐 마침내 최초의 현대장미인 하이브리드 티 장미(Hybrid Tea Rose)가 탄생하였다. 프랑스 리옹의 장미 육종가인 길롯(*Guilot*)에 의해서 육종된 라 프랑스(La France)의 장미 출현이다. 하이브리드 티는 신선한 차향이 난다고 해서 이름 지어진 티(Tea) 장미 계열의 월계화에서 육종된 장미로 오늘날 현대장미의 주류를 이루는 대표적 품종이다. 봉오리가 뾰족하게 앞으로 모인 꽃의 모양인 하이 센터(high center)가 특징이며 길고 꼿꼿한 줄기의 수형에 큼직한 꽃이 대체로 한 송이씩 피어난다.

이러한 현대장미의 탄생은 사계성 개화 인자를 가진 동북아시아의 장미가 여름 한철 꽃을 피우는 서양의 고전장미와 교잡을 시작하고 많은 육종이 거듭되면서 이루어진 결과이다. 그래서 중국은 월계화가 세계인들이 애호하는 현대장미의 어머니 역할을 했다는 자부심을 가지고 있을 뿐만 아니라 장미대국으로서 문화적으로나 산업적인 발판을 굳혀가고 있다.

야생의 들장미 해당화, 한국인의 애환을 담아내다

이렇듯 다양한 문화적 배경을 가진 장미는 서양에서 우리에게 온 식물로 알려져 있지만 사실은 우리 민족이 오랫동안 가꾸고 좋아했던 식물이다. 또한 한반도는 야생장미의 자연 자생지로 생태적 환경가치가 높은 지역이다.

세계적으로 반복 개화의 특성을 가진 장미가 자연에서 자생하는 지역은 손에 꼽을 정도로 희귀하다. 한반도가 그중 한 지역이다. 중국 서남의 쓰촨 성 일대 월계화, 중앙아시아 파미르 고원과 중국 북서부 톈산(天山) 지역의 페첸코나 장미, 극동의 캄차카 남부에서 한반도와 일본의 북부 그리고 중국 동북의 연안지역까지의 루고사 장미(*Rosa rugosa*), 바로 해당화를 일컫는데 이들이 모두 일 년에 두 번 이상씩 피고 지는 사계성 인자를 가진 야생장미이다. 이렇게 전 세계적으로 소수의 지역에서만 반복 개화성 야생장미가 자연상태에서 자생하고 있는 것이다. 해당화도 월계화가 유럽에 전해질 18세기 하순에서 19세기 초 무렵에 유럽에 소개되어 사계장미로 육종되기 시작한다. 오늘날 루고사 계통의 장미들(Rugosa Hybrid)은 우아한 화형과 화색의 내병성과 내한성에서 강건한 장미로 육종되어 장미 애호가들의 사랑을 받고 있다.

오늘날 현대장미의 원류가 되는 야생의 들장미인 해당화는 찔레와 함께 한국인의 삶과 정서에 오롯이 전해져 우리의 소박한 애환을 간직하고 있다. 또한 현대장미를 진화시킨 중국의 월계화같이 반복 개화의 특성을 가진 우리의 옛 장미 사계화도 우리 곁에 있었다. 조선시대 원예서인 강희안(1419~1464)의 『양화소록』에 사계화는 3월, 6월, 9월, 12월에 반복 개화하였으며, 그의 고향 지리산 인근 지천에 자생하였다고 전하고 있다. 중국의 월계화와 우리의 사계화가 같은 꽃인지는 뚜렷하게 알 수가 없다. 그러나 『양화소록』과 유박(1730~1787)의 『화암수록』 등의 원예 관련 문헌에는 우리나라의 사계화가 중국의 월계화와 같은 꽃이라고 단정하지는 않는다.

우리나라의 장미에 관한 이야기는 최소한 8세기로 거슬러올라가서 시작되며 많은 문장과 시, 그림으로 장미의 유산이 남아 있다. 고전 속의 장미는 신라시대 신문왕(681~692)의 청으로 설총이 지었다는 『삼국사기』 제46권 열전 제6편 설총전의 화왕계(花王戒)가 첫 기록으로 알려져 있다. 꽃 나라를 다스리는 화왕(花王) 모란은 아름다운 여인 장미를 사랑하였으나 뒤이어 나타난 할미꽃의 간곡한 충언에 감동하였다는 임금의 도리를 의인화한 단편산문이다.

그 후 고려시대 이규보(1168~1241)의 한시 〈장미(薔薇)〉에서는 장미의 꽃술과 가시를 은유적으로 표현하고 있으며 『한림별곡(翰林別曲, 1214~1259)』 제5장에는 황자장미(黃紫薔薇)가 나타난다. 또한 조선시대 성현의 『악학궤범(1440~1450)』에는 황홍장미(黃紅薔薇)에 대한 소개가 있고, 서거정(徐居正, 1420~1488)은 황장미(黃薔薇)를 노래하였다. 서양에서 노란색 장미가 출현한 것은 18세기 이후로 알려져 있다. 서남아시아와 페르시아 지역 자연에 서식하는 야생장미 포에티다(Rosa foetida)가 정원 장미로 육종된 것이 이 시기이며, 텍사스의 노란 장미(The Yellow Rose of Texas)로 알려진 해리슨 옐로(Harrison's Yellow) 장미도 19세기 초반에 육종된 것이다. 그런데 노란색 장미가 고려시대부터 우리 사회에 있었다는 것은 흥미로운 사실이다. 이러한 장미들은 그림으로 남아 있지 않아 안타까움이 있으며 어떤 장미였는지 궁금하다. 우리 야생장미 중에는 노랑해당화(*Rosa xanthina*)라고 부르는 것도 있는데, 이런 장미가 정원으로 들어와 황색 정원장미가 되어 고려시대에 존재했던 것일까? 아니면 중국에서 들어온 것일지 알 수는 없지만, 우리는 오래전부터 다양한 장미를 접하고 있었던 것 같다.

뿐만 아니라 김시습(1435~1493)의 『매월당』 시집, 김인후(1510~1560)의 『하서전집』, 신경준(1712년~1781)의 『순원화훼잡설』 등의 문헌에서 장미, 사계화, 해당화에 대한 옛 장미문화를 엿볼 수 있다. 또한 심사정(1707~1768)의 〈현원합벽첩〉, 강세황(1713~1791)의 〈해당〉, 장승업(1843~1897)의 〈초원지록〉 등에서 그림 속의 장미를 발견할 수 있다.

『양화소록』과 『화암수록』에서 옛 선비들은 장미(薔薇)를 '가우(佳友)' 즉 '아름다운 동무'라고 하였다. '아름다운 동무'라고 했으니 장미는 여인을 은유하였을 것이다. 한편으론 장미를 장춘화(長春花)라 하였다. 이는 인생의 봄인 젊음이 오래 가길 염원한 것이었다. 야생장미인 해당화(海棠花)를 정우(靚友)라 하였으니 단장을 곱게 한 여인을 묘사한 듯하다. 아마도 옛적 우리 선비들은 여인의 아름다움이 오래가길 바라는 마음으로 장미를 관조했던 것 같다.

이렇듯 자연에서나 문화 속에 오랫동안 우리와 함께 한 장미가 우리 꽃이라는 시각에서 바라보고 살펴보고 또한 보존해야 할 것이다.

· 잃어버린 장미의 이름을 찾아서 ·

김욱균(한국장미회 회장)

서브 로사(*Sub Rosa*)는 장미의 신비한 힘을 이야기할 때 흔히 인용되는 단어이다. '장미 아래에서(under the rose)'로 해석할 수 있는 이 장미 이야기는 로마시대 "장미로 천장이 장식된 방에 초대받은 손님들이 와인을 마시며 발설한 모든 대화는 그 방에서 나오는 순간부터 비밀이다"라는 말에서 유래된 것이라 한다. 이처럼 장미는 서약과 결사의 의미로 사용되어 왔으며 뜻을 모아 결속해서 일을 도모하고 추진할 때 흔히 심벌로 활용되었다. 16~17세기 독일에서 조직된 장미십자회원(Rosicrusian) 역시 장미의 이름으로 비밀결사의 연금 기술을 부렸다고 전해지고 있다.

후쿠시마의 재해로 50년 동안 가꾸어온 장미정원을 잃게 된 것은 한순간이었다. 예상할 수 없었던 갑작스러운 폐허 속에서 아름다운 경관과 장미들을 모두 잃어버렸다. 그리고 그 후 새로운 희망과 재기의 의지를 가질 수 있었던 것은 10여 년에 걸쳐 지속적으로 이 장미정원에서 장미를 촬영해왔던 장미사진 동호회의 활동이 있었기 때문이다. 그 사진들로 전시회를 꾸려 일본의 여러 도시와 프랑스 파리를 순회하고 그 실상과 그 아름다운 경관을 소개하면서 많은 사람들에게 영감을 주고 사랑과 평화의 메시지를 전하게 되었다.

이 책의 한국어판 출간이 계획되면서 그 사진 속에 있는 장미는 과연 어떤 이름의 장미일까 하는 궁금증이 생겼다. 영문으로 출판된 원서에는 장미 품종의 이름이 명시되어 있지 않았기 때문이다. 또한 한국에서는 이제 막 사회적으로 장미에 대한 관심이 고조되고 있고 장미정원을 조성하려는 시도가 각 지자체들에서 앞다투어 진행되고 있다. 그래서 책에 수록된 장미의 품종과 이름을 독자들에게 소개하고 싶었다.

그러나 이미 정원은 사라져버렸고 사진들만 남아 있었다. 오랜 세월 장미사진을 찍어온 사진촬영 동호인들은 사진을 예술적이고 감성적으로 표현하는 데 주안점을 두고 작품활동을 해왔기 때문에 장미품종이나 장미이름에 대해서는 큰 관심을 두지 않았다. 그래서 이 이름들을 찾을 수 없을까 고심을 했었다. 사진에 나타난 한순간의 장미 모습만을 보고 장미의 품종을 식별해내는 것은 보통 어려운 문제가 아니었다. 하지만 서브 로사, 장미 아래에서, 장미의 이름을 찾는 활동에 장미 전문가들이 한 사람 두 사람, 차츰 모이면서 장미이름을 찾는 결사대가 꾸려졌다.

장미 셜록 홈스(Rose Sherlock Holmes)는 저자가 잃어버린 장미의 이름을 찾는 과정에 참여했던 전문가 그룹에 붙인 이름이다. 장미 셜록 홈스들은 사진에 나타난 장미꽃의 모양, 색깔, 잎의 수, 탁엽, 가시, 수형 등을 세심하게 살피고 추적하였다. 일본장미회와 고전장미&덩굴장미클럽(Old Roses & Climbers Club)에 소속되어 있는 대학교수, 자연사박물관 큐레이터, 일본 유수 장미원의 장미정원사, 장미 육종회사의 전문가들이 참여하였다. 책에 나온 모든 품종의 이름을 다 찾지는 못했지만 많은 장미의 이름을 밝혀내었다. 장미 셜록 홈즈 명단은 뒤에 첨부하였다.

잃어버린 장미의 이름을 찾아 정리해보니 품종은 다양하였다. 후타바 장미원을 운영한 가츠히데 씨는 약관 열일곱의 나이에 처음 장미를 접하게 되었는데 체계적인 교육을 받은 상태에서 장미원을 조성한 것은 아니었다. 그러나 점차적으로 장미에 대한 지식에 이해와 깊이를 더해가면서 장미의 품종에 대한 관심을 가지게 된다. 초기에는 현대장미를 중심으로 정원을 조성하였으나 차차 야생장미에 관심을 갖게 되었고 고전장미가 중국의 월계화의 영향으로 점차적으로 현대장미로 육종되었다는 사실도 알게 되었다. 자연스럽게 장미 진화의 역사에 관심을 갖게 되어 영국의 역사가 깊은 장미원에서 고전장미와 야생장미를 수입하고 귀한 장미 품종을 콜렉션하기 시작한다. 이런 관심과 견해들을 바탕으로 이후 정원에 장미 역사의 길과 야생장미의 길을 조성하게 된다. 그러므로 장미 셜록 홈스들에게서 찾아낸 장미를 현대장미, 고전장미, 야생장미로 구분하여 정리하였다.

현대장미는 주변에 많이 알려진 대표 분류인 하이브리드 티(Hybrid Tea) 계열과 플로리번다(Floribunda) 계열 장미로 나누고 그 외 수형의 특성에 따라 관목형 장미(Shrub rose), 덩굴장미(Climbing rose)로 분류하였다. 또한 품종을 육종한 국가와 해당 야생장미가 서식하는 지역도 명시하였다.

현대장미(Modern rose)는 유럽에서 여름철에만 피는 일계성 장미(고전장미, Old rose)와 18세기 후반부터 유럽에 수입된 동양의 사계성 장미(China Rose, 일명 월계화)가 결합해서 육종을 반복하고 여러 중간 과정을 거쳐서 탄생하게 되었다. 1867년 하이브리드 티 장미로 분류되는 첫 현대장미가 출현하였으며 이를 시작으로 다양한 분류의 현대장미 품종이 육종되었다. 18세기 후반부터 19세기 초반에 이르면서 동북아시아에서 유럽으로 넘어간 찔레꽃(*Rosa multiflora*)도 유럽의 고전장미와 다양한 교잡(hybrid)이 이루어진다. 폴리안사(Polyantha)로 분류되는 이 장미가 다시 하이브리드 티 장미와 교잡을 이루어 플로리번다로 분류되는 장미가 탄생했다. 플로리번다 장미는 하이브리드 티 장미와는 달리 꽃의 크기가 크지는 않지만 한 줄기에 3~5개 정도의 꽃송이가 무리를 지어 다발로 피어나는 특징을 가지고 있다. 이러한 배경을 기반으로 장미 품종의 목록과 장미원의 장미를 함께 감상하는 기회를 가지면 장미에 대한 지식과 이해를 한층 증진시키는 데 도움이 될 것이다.

장미 셜록 홈스(Rose Sherlock Holmes)

오가와 아키라(小川 晶) 박사 | 일본장미회 전 회장

미카나기 유키(御巫由紀) 박사 | 치바현립중앙박물관 수석연구원

오사나이 켄(小山内健) | 오사카 게이한 원예(주) 장미 전문가

가와이 다카하시(河合伸志) | 요코하마 잉글리시 가든 책임정원사

마츠다 히사코(松田久子) | 요코하마 장미사진회 강사 및 후타바 장미원 사진실행위원회 위원장

기네푸치 히데미(杵淵英美) | 요코하마 장미사진회 회원 및 후타바 장미원 사진실행위원회 부위원장

오비가네 요코(帯金葉子) | Old Rose and Climbers Club 편집장

오카다 가츠히데(岡田勝秀) | 후타바 장미원 대표

게이세이 장미원 (京成장미원) 직원들

Old Rose and Climbers Club 회원들

장미 품종 및 분류

해당 쪽수	위치	장미 품종 (영문)	장미 품종 (한글)	장미분류/ 종류/원산지
8	왼쪽	Ube Komachi	우베 고마치	현대장미-덩굴 (일본)
	오른쪽	*Rosa luciae*	로사 루치아	야생장미-덩굴 (동아시아)
13	앞쪽 분홍색	Sommermorgen	썸머모르겐	현대장미-덩굴 (독일)
	왼쪽 아치	Summer Snow	썸머 스노	현대장미-덩굴 (미국)
	오른쪽 정자	*Rosa mulliganii* Boulenger	로사 멀리가니	야생장미-덩굴 (중국)
	뒤쪽 가운데	Iceberg	아이스버그	현대장미-관목 (독일)
	뒤쪽 오른쪽 주황색 (coral pink)	Magali	마갈리	현대장미-플로리번다 (프랑스)
14	왼쪽 주황색 (orange yellow)	Fure-Daiko	후레다이코	현대장미-덩굴 (일본)
	분홍색	Bridal Pink	브라이덜 핑크	현대장미-플로리번다 (미국)
	흰색	Rambling Recctor	램블링 렉타	현대장미-덩굴 (영국)
15	정자 흰색	*Rosa mulliganii* Boulenger	로사 멀리가니	야생장미-덩굴 (중국)
	뒤쪽 왼쪽 흰색	Iceberg	아이스버그	현대장미-관목 (독일)
	뒤쪽 오른쪽 주황색	Magali	마갈리	현대장미-플로리번다 (프랑스)
16	왼쪽	*Rosa mulliganii* Boulenger	로사 멀리가니	야생장미-덩굴 (중국)
17	첫쨋줄 왼쪽	Leonardo da Vinci	레오나르도 다빈치	현대장미-덩굴 (프랑스)
	첫쨋줄 오른쪽	Complicata (Gallica)	컴플리카타	고전장미-관목 (중부 유럽)
	둘쨋줄 가운데	Leonardo da Vinci	레오나르도 다빈치	현대장미-덩굴 (프랑스)
	둘쨋줄 오른쪽	Rambling Rector	램블링 렉타	현대장미-덩굴 (영국)
	셋쨋줄 가운데	Pink Sakurina	핑크 사쿠리나	현대장미-관목 (프랑스)
	셋쨋줄 오른쪽	Bonica '82	보니카	현대장미-관목 (프랑스)
18	앞쪽 아치	Summer Snow	썸머 스노	현대장미-덩굴 (미국)
	오른쪽 흰색	Alba Meidiland	알바 메이딜란드	현대장미-관목 (프랑스)
	오른쪽 분홍색	Angela	안젤라	현대장미-덩굴 (독일)
	중앙 빨간색	Mainaufeuer	마인아우포이아	현대장미-관목 (독일)
	뒷편 장미 로프 흰색	Rambling Rector	램블링 렉타	현대장미-덩굴 (영국)
19	아래쪽 노란색	Landora	란도라	현대장미-하이브리드 티 (독일)
23	둘쨋줄 왼쪽	Henri Martin (Moss)	앙리 마르탱	고전장미-관목 (프랑스)
	둘쨋줄 가운데	Général Kléber (Moss)	제네랄 클레버	고전장미-관목 (프랑스)
	둘쨋줄 오른쪽	Graham Thomas	그레이엄 토마스	현대장미-관목 (영국)
25		Elina	엘리나	현대장미-하이브리드 티 (영국)
27		Dainty Bess	데인티 베스	현대장미-하이브리드 티 (영국)
28		Tasogare	다소가레	현대장미-플로리번다 (일본)

해당 쪽수	위치	장미 품종 (영문)	장미 품종 (한글)	장미분류/ 종류/원산지
30		Rambling Rector	램블링 렉타	현대장미-덩굴 (영국)
31		Tasogare	다소가레	현대장미-플로리번다 (일본)
33	첫째줄 오른쪽	*Rosa Blanda* Aiton	로사 블란다	야생장미-덩굴 (북미)
	둘째줄 왼쪽	Matilda	마틸다	현대장미-플로리번다 (프랑스)
	둘째줄 오른쪽	*Rosa luciae*	로사 루치아	야생장미-덩굴 (동아시아)
36	첫째줄 왼쪽	Rambling Rector	램블링 렉타	현대장미-덩굴 (영국)
	첫째줄 오른쪽	City of York	시티 오브 요크	현대장미-덩굴 (독일)
	둘째줄 왼쪽	Spanish Beauty	스패니시 뷰티	현대장미-덩굴 (스페인)
	둘째줄 오른쪽 흰색	City of York	시티 오브 요크	현대장미-덩굴 (독일)
	둘째줄 오른쪽 자주색	Veilchenblau	바일헨블라우	현대장미-덩굴 (독일)
37		Sommermorgen	썸머모르겐	현대장미-덩굴 (독일)
38	주황색	Magali	마갈리	현대장미-플로리번다 (프랑스)
	상단 왼쪽 정자	*Rosa mulliganii* Boulenger	로사 멀리가니	야생장미-덩굴 (중국)
	상단 가운데 아치	Summer Snow	썸머 스노	현대장미-덩굴 (미국)
39	첫째줄 왼쪽	Spanish Beauty	스패니시 뷰티	현대장미-덩굴 (스페인)
	첫째줄 가운데	Summer Snow	썸머 스노	현대장미-덩굴 (미국)
	둘째줄 왼쪽 노란색	Creamy Eden	크리미 에덴	현대장미-플로리번다 (프랑스)
	둘째줄 오른쪽 빨간색	Konrad Henkel	콘라드 헨켈	현대장미-하이브리드 티 (독일)
	셋째줄 왼쪽 노란색	Kaguya- Hime	가구야 히메	현대장미-관목 (일본)
	셋째줄 왼쪽 분홍색	Maria Callas	마리아 칼라스	현대장미-하이브리드 티 (프랑스)
	셋째줄 왼쪽 분홍색 필러 (뒤쪽)	Hagoromo	하고로모	현대장미-덩굴 (일본)
	셋째줄 가운데 왼쪽 진분홍색	Angela	안젤라	현대장미-덩굴 (독일)
	셋째줄 가운데 분홍색 필러	Hagoromo	하고로모	현대장미-덩굴 (일본)
	셋째줄 가운데 오른쪽 자주색	Shinoburedo	시노부레도	현대장미-하이브리드 티 (일본)
	셋째줄 가운데 오른쪽 주황색	Fure-Daiko	후레다이코	현대장미-덩굴 (일본)
	셋째줄 오른쪽 주황색	Hanagasa	하나가사	현대장미-덩굴 (일본)
	셋째줄 오른쪽 중앙 분홍색	Blushing Knock Out	블러싱 녹 아웃	현대장미-관목 (미국)
	셋째줄 오른쪽 빨간색	Knock Out	녹 아웃	현대장미-관목 (미국)
	셋째줄 오른쪽 진분홍색	Harukaze	하루가제	현대장미-덩굴 (일본)
	셋째줄 오른쪽 분홍색	New Dawn	뉴 돈	현대장미-덩굴 (미국)
41		New Dawn	뉴 돈	현대장미-덩굴 (미국)
42	왼쪽	Elina	엘리나	현대장미-하이브리드 티 (영국)
	오른쪽	*Rosa mulliganii* Boulenger	로사 멀리가니	야생장미-덩굴 (중국)
43		Belle Isis	벨 이시스	고전장미-관목 (벨기에)

해당 쪽수	위치	장미 품종 (영문)	장미 품종 (한글)	장미분류/ 종류/원산지
45		François Juranville	프랑수아 쥐랑빌	고전장미-덩굴 (프랑스)
46		Sangerhäuser Jubiläumsrose	상거호이저 주빌로임스로제	현대장미-플로리번다 (독일)
47		Ispahan	이스파한	고전장미-관목
49		Adélaide d'Orléans	아델라이드 오를레앙	고전장미-덩굴 (프랑스)
50	첫째줄 오른쪽 큰 분홍색	*Rosa canina* 'Hibernica'	히베르니카	고전장미-관목 (아일랜드)
	둘째줄 왼쪽 노란색	Parks' Yellow Tea-scented China	파크스 옐로 티 차이나	고전장미-관목 (중국)
	둘째줄 왼쪽 분홍색	Old Blush China	올드 블러시 차이나	고전장미-관목 (중국)
	둘째줄 오른쪽 아치	François Juranville	프랑수아 쥐랑빌	고전장미-관목 (프랑스)
53		Ispahan	이스파한	고전장미-관목
54	정자 흰색	*Rosa mulliganii* Boulenger	로사 멀리가니	야생장미-덩굴 (중국)
	뒤쪽 주황색	Phyllis Bide	필리스 바이드	현대장미-덩굴 (영국)
56	노란색	Graham Thomas	그레이엄 토마스	현대장미-관목 (영국)
57	왼쪽	Princess Diana	프린세스 다이애나	현대장미-하이브리드 티 (영국)
	오른쪽	Bonica '82	보니카	현대장미-관목 (프랑스)
59	앞쪽 아치	Summer Snow	썸머 스노	현대장미-덩굴 (미국)
	가운데 빨간색	Mainaufeuer	마인아우포이아	현대장미-관목 (독일)
	가운데 노란색	Little Lucia	리틀 루시아	현대장미-관목 (일본)
62		*Rosa eglanteria*	로자 에그란테리아	야생장미-관목 (유럽)
68		Hagoromo	하고로모	현대장미-덩굴 (일본)
69		Henri Martin(Moss)	앙리 마르탱	고전장미-관목 (프랑스)
73		Landora	란도라	현대장미-하이브리드 티 (독일)
74		Tasogare	다소가레	현대장미-플로리번다 (일본)
76		Bridal White	브라이덜 화이트	
77		Grand Prize	그랜드 프라이즈	현대장미-플로리번다 (미국)
79		Hatsukoi	하츠코이	현대장미-하이브리드 티 (일본)
80	왼쪽부터 시계방향으로			
	상단 왼쪽 분홍색	Dainty Bess	데인티 베스	현대장미-하이브리드 티 (영국)
	상단 가운데 보라색	Rhapsody in Blue	랩소디 인 블루	현대장미-관목 (영국)
	상단 가운데 분홍색	Blueberry Hill	블루베리 힐	현대장미-관목 (미국)
	오른쪽 둘째줄 빨간색	Meg Merrilies	메그 메릴리스	고전장미-덩굴 (영국)
	하단 오른쪽 빨간색	Crimson Glory	크림슨 글로리	현대장미-관목 (독일)
	하단 보라색	Blue Bajou	블루 바주	현대장미-플로리번다 (독일)
	하단 흰색	*Rosa laevigata*	로자 라비가타	야생장미-덩굴 (중국)
	하단 왼쪽	Princess Chichibu	프린세스 치치부	현대장미-플로리번다 (영국)

페이지	위치	장미 품종 (영문)	장미 품종 (한글)	장미분류/ 종류/원산지
80	가운뎃줄 왼쪽 노란색	Butterscotch	버터스코치	현대장미-덩굴 (미국)
81	왼쪽부터 시계방향으로			
	상단 왼쪽	Meg Merrilies	메그 메릴리스	고전장미-덩굴 (영국)
	상단 두 송이 흰색	*Rosa laevigta*	로사 라비가타	야생장미-덩굴 (중국, 북미)
	상단 한 송이 분홍색	French Lace	프렌치 레이스	현대장미-플로리번다 (미국)
	하단 오른쪽 분홍색	Cumbaya	쿰바야	현대장미-플로리번다 (프랑스)
	하단 노란색	Gold Bunny	골드 버니	현대장미-플로리번다 (프랑스)
	하단 보라색	Shinoburedo	시노부레도	현대장미-하이브리드 티 (일본)
	하단 왼쪽 분홍색	Leonardo da Vinchi	레오나르도 다 빈치	현대장미-덩굴 (프랑스)
	중간 왼쪽 분홍 바탕 붉은 무늬	*Rosa gallica versicolor*	로사 갈리카 베시칼라	야생장미-관목 (중부 유럽)
82		Alba Meidiland	알바 메이딜란드	현대장미-관목(프랑스)
104		*Rosa sericea*	로사 세리시아	야생장미-관목 (중국, 서남아시아)
111	분홍색	Ube Komachi	우베 고마치	현대장미-덩굴(일본)
113		*Rosa luciae*	로사 루치에	야생장미-덩굴 (중국, 동북아)